在生命的所有季节播种

毕淑敏 著

中国青年出版社

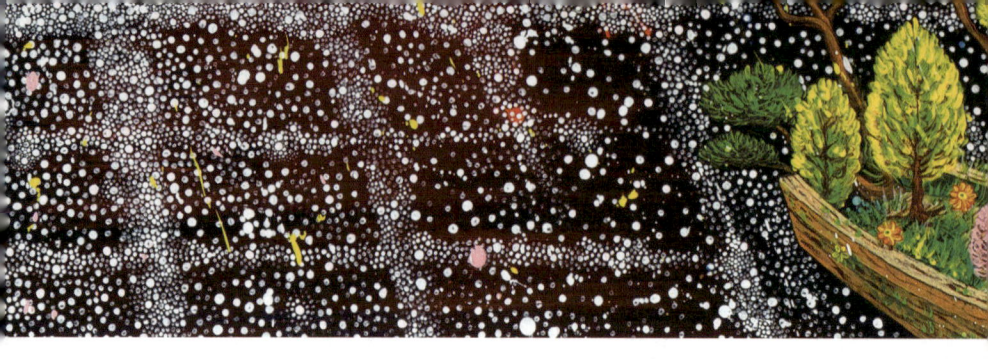

第一辑　我的心灵是一座花园

人生有清晨，人生也是有夜的。夜晚过去了，就娩出黎明。黎明是我们的，夜晚也是我们的。无论白天还是黑夜，我们都期待安宁和尊严。

心若幽兰远 –002　◆　蔚蓝的乐园 –005　◆　性的第一印象 –011　◆　倾听灰姑娘 –014　◆　永远不做咨客 –018　◆　再祝你平安 –028

第二辑　可以吹过草地的风

生命的过程就像是一盘磁带，录满我们每个人的话语。若生命结束的时候，听到自己一生所说过的话，有用的比没用的多，那就是无悔的人生了。

旅游是一味草药 –036　◆　艾滋之椅 –045　◆　永别的艺术 –051　◆　芒果女人 –055　◆　曼德拉的铅笔 –064　◆　热爱说话 –067

第三辑 心中长着岛屿的人

有一些我们久久蕴积肺腑,却表达不出的心结,被先哲们一语道破,在征途的驿站旁,等着我们路过。当无意间相逢时,心会陡地一颤,紧接着是温暖和相知的潮水涌起。

挖掘心灵第一图 -076 ◆ 首选护林员 -082 ◆ 嘘,梦不可说 -086 ◆ 心境防割 -089 ◆ 界限的定律 -094 ◆ 从伊甸园带走的礼物 -097 ◆ 心理学教授的弟子 -100

第四辑 生命深处充满智慧的天真

去认识自己的长处,将它发扬光大,去接纳那些不可改变的东西。当你能够坦然地面对自己的时候,其实也就可以坦然地面对世界——放下包袱后,你才可以轻装前进。

一念三千里 -104 ◆ 心宁度 -107 ◆ 直面你的心宁度 -112 ◆ 研究真诚 -116 ◆ 流露你的真表情 -119 ◆ 紧 张 -124 ◆ 心理测验的批发商 -134

第五辑 无所挂碍的心

每个人都有一部精神的记录,藏在心灵的多宝格内。关于那些最隐秘的伤疤,除了我们自己,没有人知道它陈旧的纸页上滴下多少血泪。

压抑也许成癌 -140 ◆ 倾听,是你的魅力 -146 ◆ 可否让我陪你哭泣 -152 ◆ 感动是一种能力 -154 ◆ 柔 和 -157 ◆ 珍惜愤怒 -162 ◆ 抑郁的源头 -164

第六辑　你一定会邂逅黄连

我再一次深深体会到,一个人如果不能心悦诚服地接受自己的外形,包括身体的所有细节,那会在心灵上造成多么锋利、持久的伤害,如霜的凄凉甚至覆盖一生。

其实,你可以犯错 –168　◆　请从老板椅上站起来 –172　◆　最重的咨询者 –179　◆　我眉飞扬 –187　◆　女人何时才能外柔内刚 –191　◆　坦言——心灵的力量 –197

第七辑　不妨告诉你,我是孤独的

当我们拒绝他人的时候,常常容易引发强烈的内疚感。这会干扰决定。有时通往地狱的道路上,铺满了良好祝愿的地砖。这世界上悲惨的事情之一,就是善意成了悲剧的指路标。

击碎无所不在的尺 –204　◆　尴尬处方 –208　◆　学会维持快乐 –210　◆　欣赏心灵的成长 –213　◆　身体不是一匹哑马 –219　◆　慈　悲 –222

第八辑　生命如尘,心中有海

在水中自由地遨游,闲暇的时候挣脱一切羁绊,到岸上享受晨风拂面,然后一个华丽的俯冲,重新潜入关系之水,做一条鱼在波涛下微笑。

没有人是一座孤岛 –228　◆　生命中的粗纤维 –229　◆　心在水中 –231　◆　用生命擦拭生命 –234　◆　温暖的陵园 –236

第九辑　美好的事物在大地蔓延

一个心理健康的人，心可以流血，自己就能撕下衣襟之血。心可以撕裂，自己能够飞针走线地缝合。他可以有累累创伤，更会有创伤愈合之后如勋章般的痕迹。

旷野与城市 -240　◆　生活要有暖和光 -242　◆　喜欢文学，比较地不容易犯罪 -244　◆　心理医生附耳细说 -248　◆　宁静有一种特殊的力量 -250　◆　发出清凉的荧光 -252

第十辑　对整个星空敞开灵魂

对于社会来说，强者的声音总是响亮的。而弱者，那些卑微和细碎的生命的权利，很容易被忽视和淡忘。但整个人类的质量，是一个整体，我们的目光更应特别地眷顾那些平凡如草的生命。

星空下的灵魂 -256　◆　火车内外的风景 -260　◆　我喜欢辽阔的地方 -264　◆　在不安的世界里，给自己安全感 -266　◆　和你一起幸福 -271

跋

麦种缝入文字 -274

第 一 辑

我的心灵是一座花园

人生有清晨，人生也是有夜的。

夜晚过去了，就娩出黎明。

黎明是我们的，夜晚也是我们的。

无论白天还是黑夜，我们都期待安宁和尊严。

心若幽兰远

在中华文化中,什么是天下第一香?

兰花香。

兰花是源远流长风华绝代的植物。它为多年生草本,一般株高二十至四十厘米,根呈长筒状,叶子多为线状披针样。当然这个"线",可粗可细,纤巧可如丝缕,厚重可仿重剑。兰叶有着皮革一般的光泽,叶虽多但绝不繁乱,仰俯自如,青翠挺拔。兰花有一个庞大的家族,品类据说达两千五百多种。从密不透风的热带雨林到突兀的悬崖峭壁,从湿润的江南峡谷到干旱的沙漠戈壁,到处可以寻觅到兰花的踪影。兰花的花形变化多端,比如跳舞兰,花朵形状酷似一个翩然起舞的女孩。比如蝴蝶兰,简直就是蝴蝶的转世。说到色彩,更是令人眼花缭乱。我看到过一株墨兰,那花的颜色,酷似书法大师挥毫之后砚池中的淡淡残水,闻之似有墨香。如非兰展上亲眼所见,断乎是不能相信世上还有如此颜色的花朵,只以为那是一个传说。不过兰花虽颜色繁复,但据说纯白色的素心兰倒是最难得的。

古人赞曰:"兰之香,盖一国。"兰花以它特有的叶、花、香独具四清(气清、色清、神清、韵清),其香也淡,其姿也雅,给人以高

洁、清丽的美好形象,被喻为花中君子。

在汉语中,镶有"兰"字的词汇非常多。孔子曾经说过"与善人居,如入芝兰之室,久而不闻其香,即与之化矣"。他老人家开了个好头,于是在中国文化的典籍中,人们慷慨地将无数美誉,倾泻到了兰花之上。

诗文写得好,被美誉为"兰章"。交到一个志同道合的好朋友,被称为"兰客"。这段友谊,也就名至实归地命名为"兰交"。"兰言",指心意相投的言论。"义结金兰",说的是不能同年同日生,但求同年同日死的侠肝义胆。"义结金兰"后,要交换谱帖,那就成为"金兰谱",或干脆就叫"兰谱"。

"兰魄",指的是高尚之精神。"兰质",讲的是如兰一般的品质。"兰芝",把兰花和灵芝叠加在一起,好像现时的强强联合,以喻美德之极点。"兰堂",指的是古雅而雄伟的厅堂。女子卧室,就叫"兰闺"。美丽的衣服,就称"兰服"。谈吐清越,被称为"兰音"。贤人君子,被称为"兰桂之人"。"兰期",便是相约佳期。用香料泡制的洗浴水,就成了"兰汤沐浴"。"采兰赠药",指的是男女青年互赠信物,表示相爱之情。"兰心蕙性",比喻女子善良贤淑。京剧中女子美丽的手势,纤纤素手一翻一翘,娇柔有力又充满性感,则被称为"兰花指"……

以上咱们光谈的是美好事物,也说一点带有悲剧色彩的。"兰摧玉折",讲的是贤人亡故,志士夭折。"兰艾同焚",指的就是玉石俱损……

兰花如此面面俱到芳名远播,但它本身却是来自山野的草花,这从它的种子可见一斑。凡是草莽之中的生灵,种子都是微不足道的。

兰花的种子极为微小，呈长纺锤形，人的肉眼几乎辨认不清。科学家取了颗种子称一称，哎呀！兰花的一粒种子只有零点三至零点五微克重。也许一般人无法辨识这样小的分量到底是多少，那咱们来复习一下重量的知识。一公斤有一千克，一克有一百万微克。打个比方吧，就算是最大的兰花种子，也需要两百万粒花种才有一克重，要二十亿粒种子，才有一公斤重。兰花的种子这样琐碎渺小，简直不值一提。种子简陋到没有胚乳，外面只包着一层疏松、透明的种皮，可谓衣衫褴褛。就算是落到土里，也要一年以上的休养生息才能缓缓发芽。

看到这里，也许你要为兰花的命运多舛而担心了。兰花的种子虽然微小，然数量极多。每一蒴果内含有种子约一万粒，小小的种子具有很大的浮力和特别抗水的能力。因此，兰花在大地上生生不息。

兰花的精神可谓强大，人也要向兰花学习，要有一点精神。人如果没有了精神力量，就成了行尸走肉。女子特别需要有一点精神，因为体力相比稍有欠缺，精神就尤应强大。

精神是需要滋养维修的。肉体的洁净和精神的佳美应该互为因果，良性循环。希望每个女子的精神世界，都遍植兰花，香氛悠远。

即使你今日尚未成为盛开的兰花，也望你在自己的心灵深处，埋下兰花的种子。别看它细如烟尘，但在外表的平静和质朴里面，蕴含着旷世的美艳和惊天动地的香氛。它需要土地、阳光和水的襄助，当然，最主要的，是兰花本身的勃勃生机。

有了兰种，请去耕耘。终有一天，你心灵的香气，会旷日持久地飘荡和远播。

蔚蓝的乐园

在一堂心理学课程上,老师对女同学说,我们来做一个试验,请大家选择一个你认为最舒适的位置坐好,然后闭上眼睛,听我说……

在老师特殊的语言诱导和自我的呼吸放松过程中,女生们渐渐进入一种极度松弛和冥想的状态,按照老师的每一道指示,沉浸在半是遐想半是幻觉的境况。那是一种奇异的体验,在思维飘逸中又保持了羽毛般细腻的注意力,身体的每一部分既仿佛被意志高度把持,又如边界模糊云空朦胧的雾海。

老师说,观察你自己的身体,感觉它每一部分的美好……然后深呼吸,体验血液在全身流通的温暖和欢畅,你的手指尖,你的脚心,你的每一寸肌肤,你的每一根发梢……感觉到热了吗?好……你渐渐地蜕去你女性的特征,变成一个男人……你的上肢,你的下肢,你的腹部……哦,如果你不愿意变,就不变吧……好,你已经变成一个男人了……打量你新的身体,从上到下,慢慢地抚摸他……你欣赏他吗?你喜爱他吗?……你是一个男人了,现在你要怎样呢?你走出家门……你行进在大街上,你同人家讲话,你的嗓音如何呢?……你看自己身边的女人,你的目光是怎样呢?……你以父亲的身份亲吻自己的孩子……

四周初起是渐强渐弱的呼吸，然后趋于宁静，最后是死一样的沉寂。

待试验整体结束，大家遵照老师的指示，缓缓回到现实的真实环境中后，老师问，你们刚才在遐想中改变了一回自己的性别，有些什么特别的感触呢？

有大约三分之一的女性说，她们原来就不喜欢变成男人，这样在变的过程中，变着变着就变不下去了，怎么也蜕不掉自己的女儿身，于是她们就决定不变了，安安稳稳做女人。应了广告上的一句话——做女人挺好。

还有大约三分之一的女性说，她们在思想和情绪上，还是觉得做男人好，但在具体想象的过程中，不知如何处置自己的身体。比如说变成男人后的身材，是像施瓦辛格那样肌肉累累，还是如同冷峻的男模特瘦骨嶙峋？尤其是将要抚平自己身体的曲线，脱去茂密的长发，生出毛茸茸的胡须那一步时，进展艰难。到达消失掉女性的第一性征，萌动男性的第一性征关头，更是遭遇到了毁灭般的困难。直弄得变也不是，不变也不是，停在蜕变的中途，好似一只从壳中钻出一半身体的知了猴，既没有长出纱羽般的翅膀，也无法重新钻回泥里蛰伏，僵持在那里，痛苦不堪。可见做男人不是一个抽象的问题，倘若无法在生理上接受一个男性的结构，其他一切，岂不罔谈？

还有三分之一变性意志坚定的女性，虽然甚为艰巨，还是比较顽强地驱动自己的身体变成男性（据统计资料，有百分之三十四的女性不喜欢自己的性别，假如有来生，可以自由选择性别的话，她们表示，坚决变成一个男人）。她们在想象中的明亮的大镜子前，匆忙端详了一下自己的身体，就急急忙忙地穿上衣服。她们并不是为了欣赏男性的身体而变成男性,她们有更重要的事情要做。要出门,当然要有相应的行头。女人们为变成男性的自己挑选什么样的衣服,是一个很有趣的问题。在日常生活中,这些女性为自己的男友或是丈夫择衣时,除了式样质地色泽以外,会注意顾及衣服的价位,也就是说,她们考虑问题是很实际的。但在想象中为男性的自己挑选衣物的时候,她们(现在要称他们了)都出手阔绰,毫不犹豫地买了名牌西装,为自己配了车,然后意气风发地走向商场、政界,成为焦点人物……当恢复现实的女儿身时,她们一下子萎靡了。

真是一堂有意思有意义的课。从以上变与不变的讨论中,是否可以得出这样一个结论:女性希冀改变自己性别的愿望,并不纯是生理上对男性形体的渴慕,而更多更重要的是——想得到男性的社会地位、成功形象、财富和权柄,变性只是一个理想价值实现的变形的象征。

把复杂的愿望伪装成一个天然的性别问题,且无法由个人努力而企及,只有寄予虚无缥缈的来世,我们从中读出女性沉重的悲哀和无奈,这与社会的偏见和文化的挤压密不可分。

男性和女性在生理构造上是有不同的,主要集中在生殖系统上,这是不争的事实。生理构造的不同,可以带来行为方式上的不同,比如鸭子和鸡,前者因为掌上有蹼,羽毛的根部有奇特的皮脂腺分泌,能在水中遨游。后者就不成,落入水中,就变成了落汤鸡,有生命危险。但男性和女性,即使在生理构造上,也是相同大于不同——比如我们有同样的手指同样的眼,同样的关节同样的脚,同样的肠胃同样的牙,同样的大脑同样的心。

男女之间的差别,说到底,力量不同是个极重要的原因。在人类文明的曙光时期,天地苍莽,万物奔驰,体力是一个人的筹码。在极端恶劣的环境与生存的抗争中,追逐野兽,猎杀飞禽,攀缘与奔跑……男性们占了肌肉和骨骼所给予的先天之利,根据义务与权利相统一的公平原则,他们因此得到了更多的权力和利益。跟随文明进程的语言和文化,将这些远古时流传下来的习气,凝固下来,弥漫开去,渗透到各个领域,成了铁的戒律。久而久之,不但男人相信它,女人也相信它。男人认为自己是天造地设的"强者",女人认为自己是永远的"弱者"。

随着现代文明的进展,男女在体力上的差异,越来越不分明了。操纵机器用按钮,甚至在一场核武器的大战中,导弹和原子弹的发射,也只是弹指之间的事情,男人做得,女人也做得。因特网上,如果不真实地自报家门,谁也猜不出谈话的那一端是男是女。

最初奠定男女差异的物质基础已经动摇,渐趋消亡,但是建筑在它之上的陈旧的性别符号,却霸道地顽固地统治着我们的各个领域。

男女两性的真正平等,不是单纯地向男人世界挑战,也不是一味地向女人世界靠拢,而是在男女两性平等协商、相互沟通,既重视区别又强调统一的大前提下,建立一种新的体系,一个"中性"的价值框架。

它以人性中那些最光明仁慈的特质,来统率我们的思维和道德标准,博大宽容,善良温厚,新颖智慧,坚定勇敢。它以我们共同具有的勤劳的双手和睿智的大脑,把这颗蔚蓝色的星球,建设得更适宜人类居住和思索,造就一方男女两性共享的宇宙乐园。

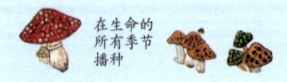

性的第一印象

社会节奏加快，人们将第一印象提升到了显赫位置，不像以往的农耕社会，有着"日久见人心"的悠然和从容。大学生的谋职面试，简直会在三五秒内，就决定一只饭碗的取舍，更显出第一印象的窘急。见过一面的人，也许就此别过，永无再见的机会，第一印象就成最后印象。也许心存好感，由此展开一段经济和情感的传奇，最终成了眷属也说不定。第一印象，生杀予夺。

记得有个小实验，将一个从来没有见过兔子的婴孩，和一只小白兔放在一起。小白兔当然是温顺的，可是当其露面的时候，实验人员就伴以嚣张的音响和恐怖的光芒，孩子吓得哭了起来。这样的情形一而再、再而三之后，只要兔子一出现，不管有没有声响和光芒相随，孩子都十分惊慌。以致很久以后，孩子一旦看到小白兔的照片还噤若寒蝉。这就是第一印象的长远效应，难以涂改。

从前，一个人什么时候接触到性，基本上是在可以控制的范畴内。大凡有些章法的人家，都如千手观音，尽量遮挡着孩子的眼睛耳朵，"非礼勿视"、"非礼勿听"。这种封闭加愚民的政策，应该说基本上是有效的。在罐头盒似的保护中，孩子们渐渐长大，懵懵懂懂地走入成年之列。

在江南古镇徜徉，一老妇人诡秘地牵住我说，到我屋里坐，有好东西给你看的。

跟随她到了狭窄内室，老人家掏出一摞瓷片，说，我看你年纪也不小了，家里的孩子一定也大了。婚嫁的时候，当妈妈的是要送点贴己物给孩子的。你把我这东西买了去，等到女儿出门子，就压在她的箱子底，她一看就明白了。这是老辈子传下来的宝，乾隆年间的……

原来，那是烧在瓷器上的性交图谱，粗糙拙劣。我躬身而退。

这种古朴的法子，现在宣告失灵。资讯如此顺畅，媒体四通八达。电视机里婚恋节目老少通吃，更不消说孩子们可在互联网上纵横驰骋，黄色站点如同粘鸟的巨网，不舍昼夜地在那里猥亵地微笑着，守株待兔，请君入瓮。

性这个东西，属于本能。凡属本能的东西，都顽强而茁壮。要把一个奔突不止的泉眼纳入轨道，除了因势利导，别无他法。

人在什么情形下对"性"产生第一印象，这是一个重要而莫测的问题。如果没有深入的研究和细致的安排，就坠入听天由命随波逐流的窠臼。来自传统的遮掩和回避，躲闪和忌讳，都使我们今天在面对这一问题的时候，借鉴甚少，踌躇甚多。

如果我们的孩子是在仓促中、紧张中、慌乱中、阴暗中，从一个自己不信任不爱戴不尊崇不熟悉的人那里，得知这一重大课题的第一印象，岂不错愕不止惊骇莫名？！

如果这第一印象是不全面不科学不美好不安全的，扭曲的变形的阴暗的恐怖的第一印象，是否会将阴影涂布他的一生？！

关于性的第一印象，需在爱和科学的掌控之中。我在美国听到一个慈善组织说,他们认为最迟在六岁就要开始对孩子们进行周密的性教育。我参观了他们的课堂和教具,其准确和形象,让我这个当过医生的人叹服。

我不知道有没有针对中国儿童的研究,也不知道这个年限究竟以几岁为宜。我期待——一定要让孩子们在阳光下得知性的知识,要由一位他们爱戴的长辈,用温暖的语调讲出,让他们看到美丽的色彩,同时听到快乐的音乐……希望这种相辅相成铸造的关于性的第一印象,让性的溪水欢畅地流向归宿,那就是——海洋般宽广的爱。

倾听灰姑娘

一位女友在国外做心理医生,回得国来,与我闲谈,说起她对许多心理疾患久治不愈的美国人,竭力推荐中国的一种疗法。

我说,是某种中药吧?中医对许多莫名其妙的病症,颇有奇异的效果。

她抿嘴一笑说,不是。这疗法,不用口服不必注射,像我们这个年纪的中国人,操作起来都是极娴熟的。

没想到不知不觉中还有绝技在身,忙问到底是怎样的疗法。

就是谈心啊。当年我们俩不是结成对子,常常在操场边的葡萄架下,谈天到深夜吗?各自的家庭,心里的一闪念,还有苦恼和希望,都漫无边际地聊个够……直到现在,我的鼻子在大洋彼岸,在睡梦中,还时时会闻到篮球架旁的沙枣花香,那是一种无法形容的蛊惑人心的醉气……

我说,谈心这件事,现在的名声可不大好。过去许多人把谈心得来的材料,当成子弹,打了小汇报,酿出了无数冤案。人们如今都牢记老祖宗的教导,"逢人只说三分话,未敢全抛一片心",哪里还有痛彻肺腑的聊天?

倘若是男人嘛,还有一个放松的机会,那就是三五知己喝醉了

微 光（局部）

酒，吐出几分真言。女人就只好憋在肚里，让那些心里话横冲直撞，直到把自己的神经撞出洞来。再说这也是社会的一种进步，我们好不容易得到了隐私权，岂能拱手相让？

女友笑起来说，隐私权是一种权利，你愿意用就用，不愿用就不用，自由在你手里啊。好比离婚这种权利，对于和和美美的夫妻来说，就可以闲置在那里。再者，人家逼迫你说出隐私，和你自愿地倾诉心曲，实在是两回事。

其实越是隐私，对人心理的压力就越大，就越要有正常的宣泄渠道。随着社会物质文明的进步，人们对自己的生理健康越来越关注。哪怕微风吹落了草帽，也要赶快吞几片感冒药预防。但人们对自己的心理关怀太不够了，它就像一个褴褛的灰姑娘，躲在角落里。可这个灰姑娘是会发脾气的，一旦疯狂起来，将给我们带来巨大的痛苦。

她忽然转换了话题说，假如你和你的先生吵了架，你怎么办？

我说，那我就不理他。

她问，你和别人谈起吗？

一般不说，家丑不可外扬啊。我叹一口气。

她说，你跟我说了心里话，我也跟你说。在美国，假如我突然和我的先生吵了架，我会马上去找我的心理医生。

我说，你自己不就是医生吗，还要找别人干什么？

她笑笑说，心理医生也和别的医生一样，自己是不能给自己看病的。夫妻吵架表面上看来都是因为极小的事情，但下面常常潜伏着由来已久的情感危机。

假如我们不想分手，就一定要把这股暗流找出来，清醒地对待它、排解它,但心理医生在美国收费十分昂贵。

我说,主意虽好,只是咱们连小康尚未达到,第三世界消费不起。有没有自力更生白手起家的法子?

女友说,有啊,这就是谈心。其实心理医生也是和病人谈心聊天,只不过更专业更精彩一些。女性应该多有几个朋友,至少也要有一个你可以面对她哭泣的女人。

我指的不是那种萍水相逢或是生意场上权力场上因为利害关系结成的伙伴,而是交往多年知根知底善解人意的朋友。

你说起了一片叶子,她就知道风从哪里来。哪怕你婚后爱上了另一个男人,你也用不着分辩自己不是一个坏女人,要商讨的只是应该怎样办……她真诚而善良,绝不会把你的故事流传。精心的信任和感情,就是不花钱的心理医生。友谊是一种像水一般互相流动的物质,这一次你给予了我,下一次我给予你。

我说,明白你的意思了,让我们倾听对方心中的灰姑娘。

分手的时候,她对我说,肝胆相照温暖亲切的谈心遵循着一条美好的定律,那就是——和朋友分享:

快乐是传染的,起码可以加倍。

痛苦是隔绝的,至少可以减半。

永远不做咨客

她是一家健康心理咨询台年轻的咨询员。第一眼相见,好失望。矮矮个,短短发,细细身,眯眯眼,哪里像人们传说中善解百结心链的心理咨询高手?

不过她一开口,我便知自己错了。嗓音柔柔,有一种沉静的甜美。这倒在我的意料中,若是音色苦辣蛮横,当初就不会收她来做声讯心理咨询这一行。她把气息始终封锁在喉头以上,所有的词语都只在唇齿间打转儿,绝不渗透到肺腑以内。只有长期以低声口语为职业的人,才有这种训练有素而又不动声色的发声方法。

你是怎么想起搞这一行的?我问。

不是我想起搞这一行,是别人挑中了我。女孩是个严谨的人,纠正我说。

那时我正在读大四,一天,报上登了声讯心理咨询台的招聘广告,同宿舍的一个女孩子去应聘,录取上了。晚上,她躺在床上,一板一眼地跟我们说她从电话里体验到的人生。当然严格讲起来,把人家咨询的心理问题当作谈资,是不礼貌也是纪律所不允许的。不过反正也不点名道姓,桩桩都是无头案子,倒也无法对号入座。这些事,对还在大学里死读书的我们来说,新鲜诱人。大家开玩笑说,

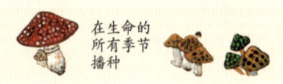

哪天也带我们去开开眼啊。

过了几天,她对我说,咨询台台长看了大家的合影照片,指着我只有绿豆大小的头像说,别人全不成,唯这女孩可一试。我自知是个中等偏下的普通人,不知有什么特别的地方让台长看上了。冲着这点好奇心,我来到了咨询台。

这是一家民营企业。声讯服务属于放开经营范围,像开个店铺一样,只要你的申请批准了,办理了有关手续,租了电话中继线,就可以开展服务了。

我问为什么偏偏挑中了我,台长说,因为你特别瘦小。我说,这算什么理由啊,又不是挑某个级别的举重运动员,身材体形有什么关系?!

台长说,从你的面容看,你很善良,但你力气特别小,这就是一个矛盾。你很乐意助人,在现实生活中,你没钱没权,恐怕很难对谁能有所帮助,只能成为经常接受别人帮助的人。你的爱心无处宣泄,电话心理咨询恰好为你提供了适宜的机会。你躲在电话线的这边,来咨询的人看不到你,只能听到你的声音,你就用你的声音和你的知识帮助别人吧。

我被台长的论点所击中,说不出反驳的话。短暂训练后,我上岗了。两人一班,守在电话机旁,来了电话就接听,尽可能详尽正确地回答咨客的问题。

我很喜欢咨客这个词——"前来咨询的客人",有点不速之客的味道。接听的第一个电话是个年轻男子,恰是半夜。他的问题是——请问性交有多少种姿势?

天啊!我傻了。虽说是心理系即将毕业的学生,自信应付一般的心理问题尚有招架之功，但这样的开场白，还是叫我胆战心惊。求救地看了一眼和我对班的老咨询员，很想让她代我回答这个棘手的问题，可她正对着另外的话筒娓娓道来，看来一时半会儿抽不出援手。

只有自力更生了。我定了一下神，判断对方是否恶意骚扰。那声音木讷颤抖，听得出是鼓了很大的勇气，再者想到毕竟不是面对面地问询解答，我脸红了反正他也看不见。对方在拨通电话之前，并不知我乃一涉世未深的年轻女子，一定认为是资深的健康问题专家呢。在极短暂的时间里，我完成了情绪调整，竭力装作人情练达地反问，你为什么想知道这个问题？

按说咨询的原则是尽量启发咨客把问题谈深入，非万不得已，不要打断对方。但我必须用问话赢得从容思考的间隙。

男子说，我刚结婚，妻子身高只有一米五，体重很轻，我呢，身高一米八，体重两百斤还有富余。我们的性生活很愉快，可是我想，是不是由于我们体形上的差异，使得许多性交姿势无法尝试，影响快乐？这个问题让我们很苦恼，又不知向谁请教合适。鼓起勇气给你们打这个电话，想确切了解，此事世上到底有多少种姿势？我们已尝试过的占了多少比例？还有多少种类我们没有涉及？有无办法补救？……

我瞠目结舌。自己未婚，又未曾偷吃过禁果，鬼才知道那门学问有多少种姿势。真想对他说，回家问问你老爸吧，他也许能给你说个明白。这话当然不能出口，只有沉默，思谋对策。时间分分秒秒流逝，从电话线里越来越急促的呼吸声，我觉察到他的紧张和不信任与时俱增。我对自己说，此刻你不是你自己，是在代表咨询台工作，挂掉这个电话，就是对工作的逃避。对方显然是一个善意的人，不应该让他失望……在青年男子就要沮丧地挂断电话的一瞬间，我涌出了很哲学并形而上的回答。

我说，性是一件很美好很私密的事情，完全取决于两个人的感受。按照我们中国人的传统美学，和谐就是最高境界。无论身材体重何种规格的人，都不可能穷尽世界上所有的性交姿势。只要双方感觉到爱的甜蜜，就要好好珍惜这份幸福。

我不知道这个问题的标准答案是什么，当我说完上面这些话以后，听筒里好一段时间无声无息。我猜对方可能大不满意，因为我几乎没有具体回答他的问题，比如他想要的数字和百分比什么的，一概无答案。没想到，片刻之后，年轻男子很激动地说，谢谢你，咨询员，你知道你给了我和我的妻子一个多么大的鼓舞吗？我们总是因为这一点而忧心忡忡，你让我们坚信自己是世界上最幸福的人啦！

我有些好笑，人是多么脆弱又是多么容易满足的生灵啊。正当我准备放下电话的时候，他又问，我可以知道你的名字吗？

按照咨询台的规矩，咨询员都有一个工作名，我们俗称"艺名"，为了保持工作的连续性，当咨客询问时，可以告知艺名。我说，我叫初捷。

他说，出洁？是出自污泥而不染，洁身自好的意思吗？

我说，没有那么复杂。不过是祝福自己初次作战，首战告捷的意思。

他很敏感，说，你是一个新咨询员吗？

我一看，要露马脚，赶紧弥补说，咨询业在中国是新兴的事业，每个人都是从头开始。我之所以叫这个名字，就是提醒自己把每一

前 行

个咨询电话都当作是一个新的起点,绝不可倚老卖老。

他马上说,小姐,可以知道你的年龄吗?

我说,我四十二岁啦(我把自己的年龄翻了一番)。

他好像略略有点失望,但很快恢复了正常,说初捷女士,以后我和妻子有了什么新问题,还会咨询您的。

我说,欢迎啊。放下电话,这才发现,耳机把耳朵壳都压扁了……初捷说到这里,揉揉耳垂。我看见她的右耳朵果真比左耳朵要平顺得多,趴在短短的头发下面,好像一只小贝壳。

我听得入神,看初捷不再讲话,就说,还有什么有趣的电话,在不影响保密的原则下,讲给我听听好吗?

初捷说,很抱歉,当了好几年咨询员,过耳的电话成千上万,反倒麻痹了,迟钝了,讲不出来了。这就像是一个画家,画了无数的素描,现在你让他把某座山峰讲清楚,他定束手无策。

初捷说话的时候,没有一丝皱纹的脸上,浮出非常苍凉的神色,和她的年龄很不符。岁月的脸谱敷在她的眉宇,遮盖了她纯真的本色。不忍看我失望,她说,我的经验是,人在快乐的时候不咨询别人,只有困难危急或是举棋不定的时候,才想起咨询。

我说,这规律好不好呢?

初捷很老成地说,不能简单地说好或是不好,只能说咨询就是由他人帮助自己做出选择。当优势很明显的时候,一般人很容易就会趋利避害,几乎是本能,用不着征询别人的意见。但当利害关系不很清晰或是在抉择中一筹莫展的时候,大多数人想听听别人的意见,特别是和自己没有利害关系的人的意见,咨询业应运而生。

我说,你干了这么多年咨询,最深刻的感触是什么呢?

初捷说，我最深刻的感触就是——人生的苦难真是太多了，各式各样，层出不穷，稀奇古怪，匪夷所思。丧父丧母的、妻离子散的、同室相煎的、恩将仇报的、投石下井的、坑蒙拐骗的、第三者的、同性恋的、走火入魔的、断子绝孙的……咨询台简直就是苦难与焦虑的荟萃集散地，就像医院是疾病和死亡的大本营……

我很关切地打断初捷的话，说，那你长久地在咨询台工作，会不会把自己的情绪染得糟透了？

初捷笑了，说，那倒不会。就像一个医生给病人看病，经历了许多死亡以后，他会更珍惜生命。每当我从咨询台的小屋走出时，我就更感到生活的美好。

我说，你的工作一定干得很出色。

初捷很沉着地回答，有些人是这样认为，但并不是所有的人都这么看。

我吃惊，有点要为初捷打抱不平的意思。我说，怎么会呢？据我所知，你从理论到实践，都很优秀啊。

初捷说，可能主要是流派的问题，学术观点不同嘛。

又激起我强烈的好奇心。问，你是何流派？

初捷笑了。她的笑容彻底地出卖了她，无论嗓音做派怎样老辣，依旧是小女孩那种纯真而略带羞涩的表情。看来识别一个咨询员的真实内心世界，不能光听他讲话。他们太善于言谈、精于分析了，一般的人只有甘拜下风。但他们的脸是无法伪装的，也许是因为面对听筒，咨客反正看不见容颜，他们就为自己保存了一份真实。

我是学院派的。这种分类也许不太科学，中国的心理咨询台正在起步，百家争鸣吧。我看了很多书，又请教了不少老师，比较看重理论。我喜欢用一些新的学术观点指导咨询,而不是简单地聊大天。单纯地让咨客释放压力,是比较原始的咨询方式。当然也不是科学术语满天飞,让人不得要领。我很注意深入浅出,适当地镶嵌一些科学化的东西,这不但是咨询的需要,而且会让咨客对你有一种敬重感。当然啦,彼此连名字都不是真的,我并不是出于虚荣才要这份尊重,只是觉得对工作比较有利。一个人只有尊重另一个人,才会更注重他的意见,你说是不是?另一种流派,我简称它为"街道派",这一流派的传人,大都是些上了年纪的医生护士或是从前的指导员什么的,还有某些个人在家中开的心理热线,大体上也属于这个范畴。特点是比较擅长聊天,海阔天空无所不包,有点像街道妇女老太太,虽然科学性比较差,但效果也不错。要知道,阅历也是心理咨询业的巨大矿藏,很多心理咨询的经验,就是直接从人生经验总结来的。

而且从经济效益来说,街道派的优越性比学院派多多啦!初捷有些神秘地小声说。

我说,不懂啦,详细解释一下。

初捷莞尔一笑道,除了由志愿者服务的咨询热线是免费的以外,大多数声讯服务都是有偿的,而且收费很高,要是你握着话筒咨询一个小时,没有百十元人民币打不住,比你请教一位真正的教授贵得多。有一回,一位老奶奶问一件鸡毛蒜皮的小事,我已经回答清楚了,她还说个不停,我提醒她,您知道这种电话很贵吗?听完我说的价钱,老人家"哇"的一声,像扔冻蛇一样把话筒丢了。实事求是地说,我这样的咨询员不多,因为咨询员的收益是与用户的通话时间挂钩的。也就是说,他和用户说的话越费工夫,他挣的钱越成正比

例上升。

我说，初捷，当咨询员的生涯，使你一生中经历了别人几生几世的事。你虽然经验丰富，但万一以后遇到不开心的事，会不会自己拨打一回咨询电话？

初捷很肯定地说，我一生不会拨打咨询电话。

我开玩笑说，是不是怕你的同事听出你的声音啊？

初捷笑笑说，咨询台多如牛毛，如果要问，我自会找到别的途径，但我不会做咨客，永远不会。

我说，这么决绝啊，为什么干一行不爱一行？

初捷正色道，这和爱不爱没关系。咨询台是什么呢？一种心理按摩罢了。如果我在风雨中受到袭击，我会自己在暗处晾干衣服，包好伤口，梳平头发，重新容光焕发地出现在众人面前。我不喜欢面对陌生人倾诉，那只不过是情绪的清凉油，意志的伤湿止痛膏，解决不了根本问题。如果我和自己亲密的朋友，都无法解决问题，一个局外人能有什么高见呢？沉浸于向陌生人絮絮私语的人，神经多半不够坚强，太敏感细弱了。

分手的时候，我对初捷说，轮到你值班的时候，我也许会给你打一个咨询电话，问一个有关婚姻恋爱的问题，且看你如何作答！

初捷快活地笑着说，随您的便。别看我还没结婚，几乎所有的婚恋问题，我都研究过。我对爱情苦恼中的人们，有一句最经典的回答，那就是——如果你无法判断自己的选择是否正确，就把眼光放长久，设想几十年后白发苍苍时，更愿意与谁携手，共度晚年？

我除了点头，再想不出其他的话称赞她。

再祝你平安

世上唯一可以永远依傍永不动摇的,是我们自己培植的心灵与意志。

那天接到一个电话,很陌生的女声,轻柔中隐含压抑,说毕老师,我想跟您谈谈。

我说,啊,你好,此时我正在工作,以后再谈好吗?

那女人说,我可能没有以后了。或者说以后的我,就和现在的我不一样了。我是您的读者,一次您在劳动人民文化宫签名售书,我买过您的书。那天孩子正生病,因为喜欢您,我是抱着病儿子去的。当时我还请您在书上留一句话,您想了想,下笔写的是——"祝你和孩子平安"。一般的不会这样给人留字,是不是?而且您并不是写"祝全家平安"。您没提到我的丈夫,您只说我和孩子。您那时一定就已看穿了我的命运,我那时是平安的。不,按时间推算,那时我就已经不平安了,但我不知道,我以为自己是平安的。现在,我不平安了,很不平安。我怎么办?我不能和任何人说我的事,心乱如麻。我狂躁地想放纵一下自己,那样也许会使我解脱,起码世上可以有人和我一样受罪受苦,我没准会好一些……

我一边听着她的话语,一边竭力回忆着,售书……生病的孩子……可惜什么也忆不清。我是经常祝人平安的,觉得这是一种看似浅淡其实很值得宝贵珍惜的状态。沉默中,我知道自己不能轻易放下话筒,在电线的那一边,有一颗哭泣而战栗的心灵。

我假装茅塞顿开,说,哦,是!我想起来了。你别急,慢慢说,好吗?现在我已经把电脑关了,什么都不写了,专门听你说话。

女人停顿了片刻,很坚决很平静地说:毕老师,我得了梅毒。

那一瞬,我顿生厌恶,差点儿将话筒扔了。以我当过多年医生的阅历,原不该如此震动,但我以为,一位有着如此清宁嗓音并且热爱读书的女人,是不该得这种病的。

也许正因为长久行医的训练,使我在片刻憎畏后,重燃了普度众生的慈悲心。你可以拒绝一个素昧平生的读者,但你不能拒绝一个殷殷求助的病人。

我说,得了梅毒,要抓紧治,别去街上乱贴的江湖郎中那儿瞎看,一定要到正规的医院就诊。不要讳疾忌医,有什么症状就对医生如实说啊。

女人说,毕老师,您没有看不起我,我好感动。这不是我的错,是我丈夫把脏病传染给我的。我们是大学同学,整整四年啊,我们沉浸在相知的快乐中。我总想,有的人,一辈子也找不到自己的那一半,但我在这样年轻的时候,一下子就碰上了,这是老天对我的恩惠,像中了一个十万分之一的大奖。毕业之后,我留在北京,他分到外地。好在他工作的机动性很强,几乎每个月都能找到机会回京。后来我们有了孩子,相亲相爱。也许因为聚少离多,从来不吵架,比人家厮守在一起的夫妻,还亲近甜蜜。从去年下半年开始,他突然不回家了。你说他不恋家吧,几乎每天给家里打个长途电话,花的电话费就海了去了,没完没了地跟我说些鸡毛蒜皮的事,可就是人不回来,连春节也是在外面过的。前些日子,他总算归家了,但一副心事重重的样子。问他,什么也不说。哪怕这样,我一点疑心也不曾起过,我相信他比相信自己还坚决,就算整个宇宙都黑了,我们也是两个互相温暖的亮点。后来,我突然发现自己得了奇怪的病,告诉他后,他的脸变得惨白,说,我怕牵连了你,一直不敢回家。事情过去这么长时间了,我以为自己已经完全治好了,才回来。终是没躲过,害了你。

我摇着他的身子大喊道,到底是怎么回事,你老老实实说清楚!

他说,一次,真的只有一次。我陪着上面来的领导到歌厅,他叫了小姐,问我要不要?我刚开始说不要,那领导的脸色就不好看,意思是我若不要小姐,他就不能尽兴。我怕得罪领导,就要了……事情就这么简单。三个星期后,我发现自己烂了,赶紧治。那一段时期,我的神经快要崩溃了,天天给家打电话,但没法解脱。现在我把一切都告诉你了,我对不起你,听凭你处置。无论你采取怎样严厉的制裁,我都接受。

这是三天前的事。说完,他就走了。我查了书,《本草纲目》上说:"杨梅疮古方不载,亦无病者。近时起于岭表,传及四方……"他正是在广州染上的。三天了,我没合一下眼,没吃一口饭,只喝一点儿水,因为我还得照料孩子……我甚至也没想看病的事,因为我要是准备死,病也就不重要了……

听到这里,我猛地打断她的话,说你先听我说几句,好吗?我行过二十多年的医,早年当过医院的化验员,在高倍显微镜底下,观察过活的梅毒螺旋体。那是一些细小的螺丝样的苍白生物,在新鲜的

墨汁里（唯有对梅毒菌，采取这种古怪的检验方式），会像香槟酒的开瓶器一样，呈钻头一样垂直扭动。它们简陋而邪恶，同时也是软弱和不堪一击的，在四十摄氏度的温度下，转眼就会死亡。

我顿了一下，但不给她插话的间隙，很快接着说，你一个良家妇女，一个受过高等教育的知识女性，一个贤惠温良的妻子，一个严谨家庭出身的女儿，一个可爱男孩的母亲，就这样为了一种别人强加给你的微小病菌，自己截断生命之弦吗？你若死了，就是败在长度只有十几个微米的苍白的螺旋体手里了！

电话在远方沉寂了很久很久，她才说，毕老师，我不死了，但我要报复。

我说，好啊。在这样的仇恨之前，不报复，怎能算血性女人！只是，你将报复谁？

她说，报复一个追求我的领导。他也是那种寻花问柳的恶棍，我一直全力地躲避他，但这回，我将主动迎上去诱惑！虽然这个领导不是那个领导，但骨子里，他们是一样的，我必让他身败名裂。

我说，对这种人，不必污了我们的净手。他放浪形骸，螺旋体、淋病菌和艾滋病毒，自会惩罚他。等着瞧，病菌们有时比人类社会的法则，更快捷更公平。

女人叹了一口气说，好吧，我依您。可我满腔愁苦何处诉？！日月无光，天塌地陷啊！

我说，事情真有那么严重吗？你还是你，尽管身上此时存了被人暗下的病菌，但灵魂依旧清白如雪。

她说，我丈夫摧毁了我的信念，此刻，万念俱灰。

我说，女人的信念仅仅因为丈夫而存在吗？当我们不曾有丈夫的时候,我们信谁?信自己!当丈夫背叛堕落的时候,我们信谁?信自己!当丈夫因为种种理由离我们而去的时候,我们信谁?信自己!丈夫再好,也是外部世界的一部分,变与不变,自有它的轨道,不依我们指挥。世上唯一可以永远依傍永不动摇的,是我们自己培植的心灵与意志。

电话的那一端,声响全无。许久许久,我几乎以为线路折断。当那女人重新讲话的时候,音量骤大了百分之三十。

您能告诉我,今后怎么办?原谅我的丈夫吗?我是一个尊严感很沉重的女人,无法在今后漫长的岁月里,假装忘记了这件事。不忘记就无法原谅。解散这个家,所有的人都会问这是为什么,内幕就得大白天下,我也无法面对周围人和亲友悲悯的眼色。我想,有没有既凑合着过下去又让我心境平衡的办法呢?只有一个方子,就是我也自选一个短儿,一个瑕疵,我和丈夫就半斤对八两了。我有一位大学男同学,对我很好。我想,等我治好病以后,当然是完完全全地好了,我就把一切告诉他,和他做一次爱,这样我和丈夫就扯平了,我的痛苦就会麻痹。您说,我是否有权利这样做?她窘急地询问,好像在洪水中扑打逃生的门板。

这一回,轮着我长久地踌躇了。我不是心理医生,不知该如何准确地回答她,只好凭感觉说,我以为,在不违反法律的情形下,你有权利做自己想做的事。但在这之前,请三思而后行。以错误去对抗一个错误,并不像三岔路口的折返,也许会蒙出个正确。它往往导致更复杂更严重的错误,而绝不是回到完美。女人在深重的打击之下,心智容易混乱。假如我们一时想不出好办法,就把痛苦放到冰箱里吧。新鲜的痛苦固然令人阵痛恐惧,但还不是最糟。我们可以在悲愤之后，化痛苦为激励。最可怕的是痛苦的腐烂和蔓延，那将不可收拾。

她沉吟半晌，然后说，谢谢您。我会好好地想您说过的话，打搅您了。我在这世上，没有一个人可信任又可保密，只有对您说。耽误了您这么多时间，很抱歉。

我说，假如多少能给你一点帮助，我非常乐意减轻你的痛苦。我又说，最后能问你是怎样知道我的电话号码的吗？

她在整个谈话过程中，第一次轻轻地笑了，说，信息社会，我们只要想找一个人，他就逃不掉，您说对吗？

我也笑了，说，对。假如今后我还有机会给你留言，会再一次写上——祝你和孩子平安。

第 二 辑

可以吹过草地的风

生命的过程就像是一盘磁带,

录满我们每个人的话语。

若生命结束的时候,

听到自己一生所说过的话,

有用的比没有用的多,

那就是无悔的人生了。

旅游是一味草药

她是一个抑郁症患者。吃了很多药,总是刚开始的时候有效,后来就渐渐失效。神经科的医生对她说,你在吃药的同时,还要进行心理治疗,于是她找到了我。

她把厚厚一沓药物说明书递给我,说:"您看看它们的名字,也就懂得了我。在我的血液里,都是这些药片,所以,您看到的我不是我,是这些药片的化身。"

在进行过一段治疗未见显效之后,我同她说:"你要去运动。"

她是一位女白领,因病已经很久都没有工作了。她漠然地说:"我从小就不参加任何运动。现在我都病成这样了,哪里还有心思去参加运动呢?"

我说:"请你坚持。要尝试着走出家门,去参加比较剧烈的运动,要出汗,要跑跳得上气不接下气,心跳要到每分钟一百二十次以上。你要拯救自己啊。"

她同意了。过了一周,当我以为事情可能会有某种变化的时候,她说:"对不起,我一次运动也没有参加。"

我说:"为什么呢?"

她回答说:"我连早上起床这件事,都要在床上挣扎一个小时四十分钟才能决定下来。最后总算起了床,一转身,就又跌落在沙发上,缩成一团。我没有勇气参加任何运动,我根本做不出任何决定。除了……"她稍微停留了一下,还是说了出来,"自杀……"

我知道无法做出决定和不能付诸行动,是抑郁症患者非常显著的特点。他们对什么都没有兴趣,只有自杀这个黑暗的旋涡会吸引他们的目光。他们自己也不喜欢这种状态,可是没办法。如同一个四肢百骸均已断裂之人,你告诉他一百米外有药草,可以救他,他动弹不了,只能等死。死亡是抑郁症者最爱琢磨的一件事情,他们觉得这样就一了百了了。

怎么办呢?我知道严重的抑郁症患者有高达百分之三十的自杀成功率。我要尽力帮助她。

我思忖着说:"你去旅游吧。"

她说:"一点兴趣也没有。"

我说:"既然想治病,你就要听医生的。你必须出发。"

她半信半疑地说:"真的能治好吗?我已经吃了很多药,用了很多方法。很多对别人有效的方子,对我都像泼冷水一样,没有效果。旅游,这都是老年人和度蜜月的新人才干的营生,对我会有效吗?"

我说:"我不能给你打保票。不过,可以试一试。"

她说:"也许我会死在半路上。"

我说:"也有另外一种可能——你会康复在半路上。"

她终于艰难地决定试试,问:"到哪里去呢?"

我说:"你想到哪里去呢?"

她迟疑着说:"对于我现在来说,到哪里都是一样没意思。不过,要是按照我没得病之前的想法,我希望到欧洲去。"

▶ 远方

我断然说:"欧洲不能去。"

她无可无不可地说:"不去就不去,那您说到哪里去呢?"

那时正是盛夏,气候极端炎热,闷得人恨不得将胸膛撕个口子透透风。我说:"就在国内吧,省钱。"

她漠然道:"请不必为我考虑钱的事情。我虽不富有,现存的这点钱,很可能还没用完,我已不在人间了。"

我不搭理她这些悲观厌世的话,说:"我建议你到三亚去。"

她说:"北方已经热成了这个样子,海南多不舒服啊。"

我说:"听我的吧。"

过了两天,她打电话说正在旅行社报名,有三星级、四星级、五星级的团,到底参加哪一个呢?

"参加最便宜的团。"我说。

她在电话的那一头说:"毕老师就不要为我考虑省钱的事儿。无论哪种团,都比旺季要便宜至少三分之一。现在是淡季,又闷又热,马上还要来台风,几乎没有人到海南旅游。来报名的都是一些底层民众和大学生,图的就是特便宜。"

我说:"这太好了。"

她不解:"说好在哪里呢?"

我说:"好在有台风啊。"

她说:"很多人听说有台风,就都退团了。您却说好,真是不明白。不过,反正我是无所谓的,我连死都不怕了,还怕台风吗?我这就报名了。"

我说:"回来之后,你就报名去西北大漠。"

她说:"就不歇歇吗?"

我说:"不用,你可以支撑得了。"

等到她一个月后从海南和西北回来,简直像换了一个人,语速增快了一倍,两眼炯炯有神,拿出一个椰子壳做成的披头散发的小娃娃,说是送给我的礼物。

她微笑着说:"我知道心理医生是不能收受来访者礼物的,所以那些比较贵重的东西,我就不送您了。这个椰子娃娃只要两块钱,您收下吧,以后你看到她,就像看到了我。我觉得自己已经好了,我就不再常常上您这里来了。希望我再也不会和您见面。这对一般人来说,是伤感的事情,但对我来说,是快乐的事情。您作为我的心理医生,是不是也不愿意再看到您的来访者啊。如果他们永远不再来,您是不是特别高兴啊?"

这番话讲得多好,我感觉她已经走出了生命的幽暗巷道,看到了曙光。我收下了那个嘻嘻笑着的椰子娃娃,说:"有一个小小的纠正,我虽然希望永远不在诊所里再看到你,但我希望确切地知道你在这个世界上,好好地生活着。"

她说:"会的。从这次旅游中,我深深觉得生活的美好。以后,若是一发现自己有复发的苗头,我马上就报名参加一个旅行团。记得我上次同您说过,我还没有去过欧洲呢。"

我说:"如果是单纯的旅行,你可以到欧洲去。如果真的像你所说的,是要把自己抑郁的症状,在第一时间反击回去,那么,欧洲可能不是一个最好的选择。"

她有些不解。

我说:"请你告诉我,这一次,让你印象最深刻的是什么?"

"台风。"她说,"我以前只是听说过台风,并没有亲见过。狂风暴雨惊涛骇浪,太可怕了。有好几次,我真的觉得自己要死了。我以为自己是不怕死的,但在大自然的暴虐威力下,我开始珍惜自己的生命。"

我说:"还有什么?"

她愣了一下,说:"肮脏。您让我报的是比较低档的旅游团,住宿和饮食的卫生状态都比较差,又正是炎热的夏季,那么多苍蝇,我们经常被臭鱼烂虾包围……在西北,我看到苍凉大漠,脏倒是不脏,可那是多么干旱和枯燥的所在啊。"

我说:"还有呢?"

她突然有点不好意思,说:"抢着吃饭。"

我说:"这是怎么回事哦?"

她说:"旅行团是十人一桌,每天都是在低档小饭馆吃团餐,我不敢说人家一定克扣了伙食费,但几乎每顿都吃不饱是千真万确的。当然,说吃不饱也不完全对,米饭是管够的。每天吃饭的时候,先上一大盆米饭,让大家把肚子基本上填个半饱,然后才上菜。盛菜的盘子很小,根本就不够吃的,九双筷蜂拥而上,每人只夹了几下,盘子就见了底儿……"

听到这里,我打断她说:"不是十个人一桌吗,怎么只上了九双筷子?"

她苦笑着说:"我哪里见过这阵势啊?拿着筷子还在那里等着你谦我让呢,没动手,桌上已是风卷残云,只剩下残汤剩饭了。"

我说:"这就是最基本的生存法则。"

她说:"是啊,我只好抖擞精神,加入到生龙活虎的吃饭大军里去了,三顿饭之后,就毫不示弱地争抢了;三天之后,简直变成一个

饕餮之徒。"

"然后呢？"我问。

"然后我的心情就在不知不觉中起了变化，我会在听到海鸥的叫声时露出微笑，您知道，我已经许久不会微笑了，因为我找不到微笑的理由。现在我知道了，微笑不需要多么惊天动地的理由，只要感受到清风朗月，大自然的生机，就可嫣然一笑……大漠的苍凉，让我觉得人如果不好好珍惜，就如同一粒沙子般单调。我不是看不起沙子，可沙子不能思想，我要掌握自己的生命啊。"

话说到这个份儿上，真让我觉得她不虚此行。到此刻，我几乎确信，她渐渐走出了抑郁症的阴影。

她兴致勃勃地说："大约在旅游两个星期之后，我感觉到了自己体内悄然而生的变化。我不再那样百无聊赖的头脑空白了，我也不是对任何事情都没有兴趣了。好像一根小小的蜡烛，在我内心深处微弱但是蓬勃地燃烧起来。我要感谢海南，感谢西北，这是我的再生之地。您能告诉我，当初，您为什么一定要我到海南去呢？而且要报一个低档团，要迎着台风出发呢？"

她是个聪明的女生，好奇又回到了她的身上。这是大好事啊，抑郁症的病人，就是对一切，除了死亡，都兴致索然味同嚼蜡。

我说："我想让你到一个和现实生活有很大反差的地方，五官和四肢百骸就开动起来，古老的生存法则就开始起作用。你看到新的景物，听到新的声音，闻到不同的气味，连空气的冷暖都是不同的，机体就动员起来，不再像破抹布一样萎靡不振。特别是遇到台风这样极端的气象条件，挑战就更猛烈了。抢着吃饭的体验，对很多人来说，已经非常陌生。人生埋上古老的动力是很有激情的，会调动起身体的内分泌系统开始工作,而不是先前的一潭死水一盘散沙。我之所以说欧洲不是一个治疗抑郁症的首选之地,是因为我觉得他们那里的抑郁症发病率本身就比较高,再说各方面的条件都太舒适也太优越了一点。如果说尚未完全进入现代化的某些原生态地方,对于我们的身体来说,是一声冲锋号的话,欧洲有点像温柔的慢板和催眠小夜曲,也许对于躁狂类型的抑郁症比较相宜,对你来说,就略显同病相怜了。"

她说:"您这个理论,或许能解释为什么有的人要到荒野中露宿,要在沙漠中徒步,甚至重走某一条路……是不是都想用这种返璞归真的方式,重新调动起生命的激情?"

我说:"这个我没有更多的调查研究,不敢下定论。但我想,大自然具有疗愈我们的神奇疗效,我们本来就是自然之子。美好而具有震撼力的风景,对人肯定是有正面作用的。不过,得了什么症候,到什么地方去旅行更能事半功倍,可能是心理学一个未来的研究方向啊。"

旅游是一味草药。

从那以后,我再没有见过她。祝福并相信她在这个世界上的某个地方,快乐地生活着、旅行着。

艾滋之椅

旧金山佩奇街273号,禅宗临终关怀中心。一座宁静的建筑物,在居民区内。门口没有任何标志,只有高高的台阶,甚至连普通公共场合均有的残疾人坡道和盲道,这里也没有。我和安妮迟疑了半天。我们不能确定要拜访的专门和死亡打交道的中心是不是这里。想象中,该是一座独立的白色建筑,有葱茏的绿树和不败的鲜花。这里没有。起码在外面看不到任何迹象,一如平凡的民宅。

进了门,在没有见到任何人之前,就认定是这里了。是空气告诉我们的。空气中弥漫着奇异的香气,让人有微微的麻醉和眩晕之感,但心的悸动就在这种奇特的香氛当中,平缓到迟慢。

禅宗临终关怀中心的布莱德先生慢慢地走过来,接待我们。他说话的语调也是慢慢的,举手投足也是慢慢的。慢,是这里不变的节奏。单是这一点,就已让人足够惊奇。在现今的社会里,你还能找到一间不是因为拖沓而是有意识地缓慢办公的公司吗?在商业的交往中,你还听得到一个如冷泉般天然的女孩声音吗?越是发达的社会,那频率就越是不可思议的快,直到我们目不暇接得整体昏眩了。

相反,在这个一切都缓慢的房间内,我的精神异乎寻常地警醒了。

布莱德先生告诉我们,这家机构完全是慈善性质的,建立于1987

年。这里有十位工作人员,还有一百五十名义工。这个中心没有医生,也不用任何药物,它的主要工作,就是帮助人们安详地死去。

布莱德先生慢慢地说:"死亡是需要学习的。临死的时候,很多人不知所措。没有人教授这种知识。当死亡到来的时候,人们一无所知,我们就是要帮助大家,当然,也是在帮助自己。只有懂得生命意义的人,才有勇气探讨死亡。只有对死亡有了更深入的了解,人才能更深刻地把握生命。死亡,其实就是一切事物的本质。"

这些话,有些玄了,倒是和这弥漫着奇异香氛的雅室相配。

房间高大,布置得很有宗教气息,有一种空旷感。我说:"这是什么香?"

布莱德先生说:"这是从印度带来的藏香,能够安抚人的神经。"

我问:"什么人才能住进这间中心来?"

布莱德先生说:"谁都可以住进来,只要你提出申请。我们的工作人员会到申请者的家中去看望他们,和他的家人谈话,以最后确定他是否可以来,什么时候来。因为这里是不做任何治疗的,只是接受如何面对死亡的训练。如果病人还有救治的希望,就不会接受他们到这里。"

我听得从内心向外沁冷,说:"死亡的训练是怎样的呢?我很想知道。"

布莱德先生说:"在适当的条件下,人们是很愿意讨论死亡的,特别是当死亡迫在眉睫的时候。刚来的人,大都比较紧张,对死亡不了解,不知道自己将怎样迈向死亡。我们让他接受冥想训练,其核心就是当生命的最后瞬间,只有你一个人,你将如何走向死亡。这真是一个很有效的训练。当反复训练终于完成之后,病人就不再

在生命的
所有季节
播种

前 行（局部）

害怕死亡了。我们把最后的时刻简称为'在床边'。因为死神是在床边领走我们。那种时候,往往是你一个人。当然,我们这里是二十四小时都有人值班,但我们不能保证你'在床边'的时候,旁边一定会有人。所以,每个人都要练习独自一个人'在床边',在那种时刻,保持最后的平静。"

我说:"经过训练,病人'在床边'的时候,都能保持平静吗?"

布莱德先生说:"大部分病人都能做到平静。特别是入院时间较长的病人,基本上都是平静的。如果入院的时间太短,病人可能还未能完全训练好,有的人依然在惧怕中逝去。这和每个人的情况不同有关,有的病人有太多未了的心事,还未学会放下。死亡是一个过程,我们对它要有准备。其实,就是突如其来的死亡,比如飞机失事或是外伤等,如果不可避免,平静是最好的应对……"

正说到这里,一名女士悄悄地走进来,在布莱德先生耳边说了一句话,布莱德先生于是站起身来,说:"不好意思,有一件急务,需要我出去一下,很对不起。请稍等。"

我们等了一会儿,又等了一会儿,布莱德先生还是没有回来。一位长得很秀丽的女士走进来说,布莱德先生还要等一会儿才能回来,你们不妨先到各处参观一下。

我和安妮蹑手蹑脚地在中心内部缓慢走动着。悄悄地推开一扇门,雪白的床单下有一个黑人男子,瘦到骇人的程度,用"骨瘦如柴"这样的形容词对他都是夸奖,简直就是几根紫铜丝拧成的轮廓,无声无息。如果不是他那大如鸭蛋的眼睛上的睫毛有微微的颤动,简直看不出有一点儿生命的迹象。

我们逃也似的离开了这间屋子。

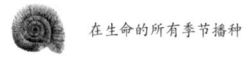

"这是一个艾滋病人。这两天，他就要'在床边'了。"秀丽的女士说。

楼边有一座小小的花园，有一些绿色的植物，因为已是秋天，没有了想象中的葱绿，几片黄叶悄然落下，也是缓缓的，仿佛电影中的慢镜头。一把椅子，角度放得很巧妙，正好对着花园里最美丽的一角。我说："我可以坐在上面吗？"

秀丽的女士说："当然可以。我们这里经常住进艾滋病人，当他们还没有丧失最后的活动能力的时候，他们很愿意坐在这张椅子上看看风景。"

哦，原来这是一把艾滋之椅。

我坐在上面，椅子很舒适，风景也很好。我看着面前的树叶，心想，这几片叶子，也许曾给若干位艾滋病人带来过安抚和宁静。如今，它们还在秋阳下焕发着最后的绿色，但那些触抚过它们的视线，已然被土壤掩埋。泥土中的视线，一定还残留着丝丝绿色吧。

我请安妮给我照了一张相，在这把椅子上。

照完之后，我对安妮说："我也给你照一张吧。"

安妮说："毕老师，我不照。我的手脚现在都是冰凉的。一会儿从这家中心走出去，我要立即进一家咖啡店，用滚烫的水暖暖我的胸膛和大脑。"

我问秀丽的女士："这个中心自建立以来，一共有多少人从这里走向终极？"

秀丽的女士说，她来这里工作的时间并不很长，关于具体的数目，不是很清楚。但她可以告诉我们一个数字，自建立中心以来，截止到今天，这里一共在一千二百六十七天中有人去世。有时是一人，有时是多人。

正说着，布莱德先生回来了。他说："很抱歉，但是，没有办法。南希去世了，就在刚才。我到了她的床边，她很平静。"

我说："南希是谁？"

布莱德先生说："南希是我们这里的一个病人，患乳腺癌，人很年轻，只有四十四岁。她在这里住了四周，刚住进来的时候，人非常紧张，非常恐惧。经过训练，她变得很平静了。刚才离世的时候，十分安详。"

我们静默，脖颈处像卡着一块冰。想到就在我们方才漫步的时候，一条生命正向空中遁去，心中充满茫然。仿佛看见南希的灵魂正在这屋顶上，宁静地看着我们。

布莱德先生说："每当有病人去世，我们都会在他的床边，举行一个小小的告别仪式。现在，我马上就要到南希的床边去，我们只能就此结束了。"

秀丽的女士说，她的亲人就是在这里去世的。她喜欢这里舒缓的气氛，亲人去世后，她就要求到这里来工作了。这里的特点就是宁静，在现代社会，找到这样一个宁静的地方是不容易的。"这里的宁静，是很多人用心血营造出来的。"她最后说。

一个人怎样独立地走向死亡？所有走过的人，都不会告知我们有关的经验教训。"在床边"，是一个新鲜的课题。我觉得，人在容光焕发、精力充沛的时候，不妨花点儿时间琢磨琢磨这件事，真到了垂垂老矣、气息奄奄之时，考虑起来就太艰苦了。平常日子，脑子转的速度不必那样快，步子的频率不必那样高，声音的分贝不必那样强，睡眠的时间不必那样晚……

永别的艺术

近读一文,内有几位日本女性,款款道来,谈她们如何人到中年,就开始柔和淡定地筹划死亡。好像戏刚演到高潮,主角就潜心准备谢幕时的回眸一笑,机智得令人叹服。

有一位女性,从六十二岁起,就把家中房子改建成三间,适合老年人居住,以用作"最后的栖身之所"。删繁就简,把用不着的家具统统卖掉,只剩下四把椅子,两个杯盘。丈夫叹道:这么早就给我收拾好啦!

一位女儿为父母收拾遗物,阁楼就像旧仓库,到处是旧书和电话簿,摞得比人还高。式样该进博物馆的服装,包装的盒子还未撕开。不知何时买下的布料,质地早已发脆。像出土文物一般陈旧的卫生纸,不起丝毫泡沫的洗涤剂……但房地产证、银行存折、名章等重要物件,却不知藏在什么地方。她想起母亲生前常说,我是不会给孩子们添任何麻烦的……心想,人不能在死亡面前好强,还是未雨绸缪的好。

她把父母家中的家具、衣物、餐具都处理了,最难办的是,母亲生前花了两百五十万日元自费出版的自传,剩下一百多册,无法处置。再三考虑之后,女儿双手合十默念道:妈妈,留下来的人还要生存，只有对不起您了。说完，她只收起四部自传，其余的都销毁。母亲的日记，她带走了。但每读一遍，都沉浸在痛苦之中。当她四十九岁时，先烧掉了自己的日记，然后把母亲的日记也断然烧光，从此一了百了。

风靡全球的《廊桥遗梦》，其实也是一部从遗物讲起的故事。死之前应该做的事，似乎还挺多。如果疏忽了，有时是难以弥补的缺憾。一位妻子患病住进医院，丈夫天天守候在床边，寸步不离。妻子刚开始是感动，随之就是生疑。终于察觉到不是一般的病，丈夫是在尽力增多和自己待在一起的时间。她深深地不安了，一再强烈要求出院，回到自己家中。丈夫知她病情重笃，哪敢让她走，只好不断说"明天我们就办手续"，敷衍她。女人终于在一天夜里，大睁着双眼走了。丈夫整理妻子遗物的时候，发现了她与情人八年相通的记载，总算明白妻子最放心不下的是什么了。

读着这些文字，心好像被一只略带冷意的手轻轻握着，微痛而警醒。待到读完，那手猛地松开了，有新鲜蓬松的血，重新灌注四肢百骸，感到阳间的温暖。

第一次清晰地感受生人对死亡的准备，是十几岁下乡时，房东大娘在秋阳下晾晒老衣。她脸上欣赏的神色和寿装绚丽妖娆的色彩，令我感到老人有一种早日套入它们的期待。细想起来，农牧社会的死亡，也是节俭和单纯的。一个人死了，涉及的不过是几件旧衣，或烧或送，都好处置。其他农具家具炊具，属于大家庭，不会也不应随了死者遁去。

现在社会在种种进步之中，也使死亡奢华和复杂起来。你不在了，曾经陪伴你的那些物品还在。怎么办呢？你穿过的旧衣，色彩尺码打上强烈个人印迹，假如没有英国王妃黛安娜的名气，无人拍卖无处保存。你读过的旧书，假如不是当世文豪，现代文学馆也不会收藏，只有掩在尘封中，车载斗量地卖废品。你用过的旧家具，式样过时，假如不是紫檀或红木，也无后人青睐，或许丢弃垃圾堆。你的旧照片，将零落一地，随风飘荡，被陌生的人惊讶地指着问，这是谁？

当我认真思忖死后的技术性问题时，感觉到的不再是对死亡充满畏惧，而是对不幸参与料理后事的人充满歉意。假如是亲人，必会引起悸痛，但我的本意，是望他们平静。假如是素不相识的人，出于公务或是仁慈相助，更应减少他人的劳动强度。

我原以为死亡的准备，主要是思想和意志方面。不怕死，是一个充满思辨的哲学范畴。现在才发觉，涉及死亡的物质和事务也相当繁杂。或者说，只有更明智巧妙地摆下人生的最后棋子，才能更有质量地获得完整的尊严。

让年富力强的人考虑死亡，似乎是一件可笑的事情。但死亡必定会在某一个不可知的时辰，与我们正面相撞，无论多么伟大的人都要臣服它的麾下。

经常想想自己明天或者最近就可能死，其实很有益处。

第一是有利于感悟生命，体验到它的脆弱和不堪一击，会格外地珍惜今天。有许多暂时看来无法跨越的忧愁与痛苦，在死亡的烈度面前都变得稀薄了。

第二是有利于抓紧时间。日常生活的琐碎重复，使我们常常执拗地认为，自己是坐拥无限时光的大富翁，可以随意抛洒。死亡给了我们一个不由分说的倒计时，无论你此刻多么精力超群，时间之囊里的水，都在一去不复返地失落着，储备越来越少。

第三是有利于我们善待他人，快乐自身。死亡使真情凸显，友情长存。

总之，死亡可是不讲情面的伴侣，最大特点就是冷不防，更很少发布精确的预告。于是如何精彩地永别，就成了值得深入探讨的问题。日本女人的想法，像她们的插花，细致雅丽，趋于婉约。我想，这门最后的艺术，不妨有种种流派，阴柔纤巧之外，也可豪放幽默。小桥流水或横刀跃马，都可以事先多次设计，身后一次完成。或许将来可有一种落幕时分的永别大赛，看谁的准备更精彩，构思更奇妙，韵味更悠长。

唯一的遗憾，就是这比赛的冠军，不能亲自领奖了。

芒果女人

　　小学同学縢从北美回来探亲，因国内已无亲属，她要求往日同伴除了叙旧以外，也要陪她逛街购物吃饭，于是大家排了表，今日是张三明日是李四，好像医院陪床一般，每天与她周游。

　　縢走了。回到她入了国籍的异国。我们聚在一起，谈论最多的竟是縢的消费观。

　　縢的先生在外发了财，縢家有花园洋房游泳池，縢女儿在读博士，縢真是吃穿不愁。可是縢依然很朴素，就像当年在乡下插队时一般。縢说，我这么多年主要是当家庭妇女，每日修剪草坪和购物。要说有什么本领，就是学会了如何当一名消费者。

　　我们打趣她说，当消费者吗，最主要的是得有钱。

　　縢说，中国的商家已经学会了赚钱，可很多人还不知道钱要赚得有理。中国老百姓也已经知道了钱可以买来服务。可这服务是什么质量的，心里却没数。

　　和縢乘出租汽车。司机一边开车，一边用打火机引着了烟。縢对我说，你抽烟吗？我偏头躲着烟雾说，不抽。縢说，我也不抽。然后是寂静，只有发动机的震颤声。等了一会儿，縢对司机说，师傅，我本来是想委婉地提醒你一下，没想到您不察觉。那我就得明说了，请您把烟熄了。司机愣了一下，好像没听懂她的话，想了想，还算和气地说，起得早，困。抽一支，提提神。我这车，不禁烟，没看不贴禁止吸烟的标志吗？

䅟说，这跟禁烟标志无关，而是您抽烟并没有得到我们的允许啊。

司机方向盘一个急转弯，说，新鲜，抽烟这事，连老婆都管不着我，干吗要得到你们的允许？

䅟说，你老婆给你钱吗？

司机说，新鲜，我老婆给我什么钱？是我给她钱，养家糊口。

䅟沉着地说，这就对了。你老婆和你是私事，你可听也可不听。我们出了钱，从上车到目的地这段时间内，买了你的车也买了你的服务。我们是你的雇主，你在车内吸烟，怎能不征询主人的意见呢？

我捏了一把汗，怕司机火起来，没想到他捏着烟想了半天，把长长的烟蒂丢到车窗外面了。过了一会儿，司机看看表，把车上的收音机打开，开始听评书连播《肖飞买药》。音波起伏，使车内略显尴尬的气氛，得到某种稀释。

䅟的眉头皱起来，这一次，她不再旁敲侧击，径直说，师傅，我心脏不好，不能听这种激动的声音，请您关闭音响。

司机旧恨新仇一起发作，恨恨地说，怎么着？这评书我是每天都听的，莫非今天拉了你，就得坏了我的规矩，让我不知道肖飞是怎么从鬼子眼皮底下逃出去的？你这个女人脑子有毛病！

我虽从感情上向着䅟，但司机的话也不无道理。别说肖飞还是有趣的故事，赶上毛头司机让你听汗毛都炸起的摇滚，不也得忍了吗？我忙打圆场说，师傅，我这位朋友爱静，就请您把喇叭拧小点，大家将就一下吧。

没想到首先反对我的是藤。她说，这不是可以将就的事。师傅愿意听肖飞买药，可以。您把车停了，自个坐在树荫下，爱怎么听就怎么听，那是你的自由。既然您是在从事服务性的工作，就得以顾客为上帝。

司机故意让车颠簸起来，冷笑着说，怎么着？我就是听，你能把我如何？说完把声音扩到震耳欲聋。

藤毫不示弱地说，那你把车停下，我们下车！

司机说，我就不停，你有什么办法？莫非你还敢跳车？

藤坚定地说，我为什么要跳车？我坐车，就是为了寻求便利。我付了钱，就该得到相应的待遇，你无法提供合乎质量的服务，我就不付你报酬。天经地义的事情，走遍天下我也有理。

我以为司机一定会大怒，把我们抛在公路上。没想到在藤的逻辑面前，他真的把收音机关了，虽然脸色黑得好似被微波炉烘烤过度的虾饼。

司机终于把我们平安拉到了目的地。下车后，我心有余悸，藤却说，这个司机肯定会记住这件事的，以后也许会懂得尊重乘客。

吃饭时落座藤挑选的小馆，她很熟练地点了招牌菜。藤说此次回国，除了见老朋友，最重要的是让自己的胃享享福，它被洋餐折磨得太久太痛苦了。菜上得很快，藤好像是展示自己的厨艺，一个劲地劝我品尝。我一吃，果然不错，轮到藤笑眯眯地动了筷子，入了口，脸上却不是颜色，召来小姐。

你们掌勺的大厨，是不是得了重感冒？不舒服，休息就是，不宜再给客人做饭的。藤很严肃地说。

▶ 大橘子

穿中式对襟小袄的年轻服务员莫名其妙，支吾着说，这个……我不清楚……

艨说，不清楚，去看看不就清楚了吗？又不是出国，还要护照和签证。

小姐一路小跑去了操作间，很快回来报告说，掌勺的人很健康，没有病的。她一边说着，一边脸上露出嫌艨多此一举的神色。

我也有些怪艨，你也不是防疫站的官员，管得真宽。忙说，快吃快吃，要不菜就凉了。

艨又夹了一筷子菜，仔细尝尝，然后说，既然大厨没生病，那就一定是换了厨师。这菜的味道和往日不一样，盐搁得尤其多。我原以为是厨师生了感冒，舌苔黄厚，辨不出咸淡，现在可确定是换了人。对吗？她征询地望着小姐。

小姐一下子萎靡下来，又有几分佩服地说，你的舌头真是神。大厨今天有急事没来，菜果真是二厨代炒。真对不起。

小姐的态度亲切可人，我觉得大可到此为止。不想艨根本不吃这一套，缓缓地说，在饭店里，是不应该说"对不起"这几个字的。

小姐不解，一脸无辜的天真问，老板教导我们说，凡是顾客不满意的时候，我们就要说"对不起"。

艨说，如果我享受了你的服务，出门的时候，不付钱，只说一声"对不起"，行吗？

小姐不语，答案显然是否定的。

艨循循善诱地说，在你这里，我所要的一切都是付费的。用"对不起"这种话安慰客人，不做实质的解决，往轻点说是搪塞，重说就是巧取豪夺。

这时一个胖胖的男人走过来,和气地说,我是这里的老板,你们的谈话我都听到了,有什么要求,就同我说吧。是菜不够热,还是原料不新鲜?您要是觉得口感太咸的话,我这就叫厨房再烧一盘,您以为如何?

我想,簃总该借坡下驴了吧。没想到簃说,我想要少付你钱。

老板压着恼火说,菜的价钱是在菜谱上明码标的,你点了这道菜,就是认可了它的价钱,怎么能吃了之后杀价呢?看来您是常客,若还看得起小店,这道菜我可以无偿奉送,少收钱却是不能开例的。

簃不慌不忙地说,菜谱上是有价钱不假,可你那是根据大厨的手艺定的单,现在换了二厨,他的手艺的确不如大厨,你就不能按照原来的定价收费,因为你付给大厨的工钱和付给二厨的工钱是不一样的。既然你按他们的手艺论价,为什么到了我这里,就行不通了呢?就好像我原来要买的是一级品,你并不告知我一级品无货,擅用二级品替代,被我察觉了出来,还要收我同样多的钱,您以为是否合理呢?

话被簃这样掰开揉碎一说,理就是很分明的事了。于是簃达到了目的。

和簃进街上的公共厕所,簃感叹地说,真豪华啊,厕所像宫殿,这好像是中国改变最大的地方。门口看守大妈收了钱,递给我们一打污黄的草纸。簃摆摆手,表示自备了。老人很高兴地把纸重新放回去,预备发给下一个人。

中国的女厕所总是供不应求,每一扇洗手间的门都是紧闭着,女人们站在白瓷砖地上,看守着那些门,等待轮到自己的时刻。

我和簃各选了一列队伍,耐心等待。我的那扇门还好,不断地开启关闭，不一会就轮到了我。蘼可惨了，像阿里巴巴不曾说出"芝麻开门"的口诀，那门总是庄严地紧闭着。我受不了气味，对蘼说了声我到外面去等你啊，便撤了出去。等了许久，许多比蘼晚进去的女人都出来了，蘼还在等待……等蘼终于解决问题了以后，我对蘼说，可惜你站错了队啊。

蘼嘻嘻笑着说，烦你陪我去找一下公共厕所的负责人。

我说，就是门口发大便纸的老大妈。蘼说，你别欺我出国多年，这点规矩还是记得的。她管不了事。我要找一位负责公共设施的官员。

我表示爱莫能助，不知道这类官司是找环保局还是园林局，因为那厕所在一处公园内。蘼思索了片刻，找来报纸，毫不犹豫地拨打了上面刊登的市长电话。

我吓得用手压住电话叉簧，说蘼你疯了，太不注意国情！

蘼说，我正是相信政府是为人民办事的啊。

我说，一个厕所，哪里值得如此兴师动众？

蘼说，不单单是厕所，还有邮局、银行、售票处……中国凡是有窗口和门口的地方，只要排队，都存在这个问题。每个工作人员速度不同，需要服务的人耗时也不同，后面等待的人不能预先获知准确信息。如果听天由命，随便等候，就会造成不合理、不平等、不公正……关于这种机遇的分配问题，作为个人调查起来很困难，甚至无能为力。比如我刚才不能一个个地问排在前面的女人，你是解大手还是解小手，以确定我该排在哪一队后……

我说，蘼你把一个简单的问题说得很复杂，简明扼要地告诉我，你打算在厕所里搞一场什么样的革命？蘼说，要求市长在厕所里设条一米线，等候的人都在线外，这样就避免了排错队的问题，提高效

率,大家心情愉快。北美就是这样的。我说,籐,你在国内还会上几次公共厕所?还会给谁寄钱或取邮件?我们浸泡其中都置若罔闻,你又何必这样不依不饶?你已是一个北美人,马上就要回北美去,还是到那里安稳享受你的厕所一米线吧。

籐说,这些年,我在国外,没有什么本事,就是买买东西上上街。我不像别的留学生回国,有很多报效国家的能力。我只是一个家庭妇女,觉得那里有些比咱高明的地方,就想让这边学了来。这几天,我让你们陪我,是想让你们明白我的心。我不是英雄,没法振臂一呼,宣传我的主张。也不是作家,不会写了文章,让更多的人知道我的想法。我只有让你们从我看似乖张的举动里,感觉到这世上有一个更合理的标准存在着,可以学习借鉴。

我感动籐的苦心,但还是说,就算你说的有理,这些事也太小了,要知道中国有些地方连温饱都没有解决啊。

籐说,我对中国充满信心。温饱解决之后,马上就会遭遇这些问题。对于普通人来说,我们流泪,有多少是为了远方的难民?基本上都是因为眼睛里进了沙子。身边的琐事标志着文明的水准。现代化不是一个空壳,它是一种更公正更美好的社会。

我把压在电话叉簧之上的手指松开了,让籐去完成找市长的计划。那个电话很长,籐讲了许多她以为中国可以改进的地方,十分动情。

分手的时候,籐说,有些中国人在国外入了籍以后,标榜自己是个香蕉人,意思自己除了外皮是黄色的,内心已变得雪白。而我是一个芒果人。我说,芒果人,好新鲜。怎么讲?

籐说,芒果皮是黄的,瓤也是黄的。我永远爱我的祖国。

曼德拉的铅笔

女友自南非旅游归来，送我两件礼物。第一件，花锡箔包着，缎带系着，体积圆圆，若二两重的芝麻烧饼。我说，这是什么呢？南非特产？该不是送我这样大的一块钻石吧？

她轻声道，比钻石还要宝贵。

看女友轻柔的样子，好像锦盒之中藏着一只冬眠的蝴蝶。很想把这份神秘感带回家，隔山买牛细细猜测。但时下西风东渐，兴的是当面锣对面鼓地敲开礼物，然后受礼者做出兴奋得昏过去模样，夸张地赞叹，于是主客皆大欢喜。

只好将美丽的包装撕开。一坨晶莹剔透的玻璃芯，果真有一种未知物的标本，静静地潜伏在胆内。绿灰色，丝缕状，螺旋形，有依稀的纤维纹路浮现着，仿佛一圈华贵的水藻，凝固于北极寒冰中。无法判断它的属性。急翻背面的说明签，看到一行触目的英文——BULLSHIT！

无论怎样顾及礼貌，我还是难以掩饰大惊失色。我们常常在电影斗殴里，听到这句粗口，它的大致含意是——粪便！

朋友说：这是野生的非洲大象的粪便。由于象群越来越少，它也成为奇特的纪念品。大象这种地球陆地上最庞大的生物，只因为牙的精美，被人们无穷无尽地猎杀，陷入灭顶之灾。据说大象为了维持自身的安全，牙已缩得越来越短。不知道造化的法则，能否给象族以足够的时间，使它们在人类的枪口击毙最后几对象夫妇之前，让祖传的长牙完全消失？那虽然顿减壮美，好歹保下种群的延续。可怕的是，也许到了下一个世纪，我们的后代会对着这盒标本说，哈！这是什么？……不可能！哪一种动物会有如此粗大的排泄物？必是外星人遗下的无疑！

物种的生命之链，比钻石要宝贵千倍啊。

朋友又拿出一沓照片，指点着给我讲南非的桌山和迷城，讲原名叫作"风暴角"，后来为了讨吉利，改叫"好望角"的非洲最南端。讲曼德拉所在的总统山和他曾被监禁的鲁宾岛……你看，这就是总统府啊，很平和的样子，是不是？曼德拉上班的时候，就把一面南非国旗，从办公室窗户里探出来，表示他正在此处理公务，老百姓要是有什么事，可以约了去见他。如果国旗不飘了，说明曼德拉这会儿暂时不在……喏，我把一支曼德拉国度的铅笔送给你。

我接过第二件礼物。它没有包装，裸着身肢，外观同所有铅笔一样，纤细挺秀，掂在手里，却颇有几分重量。前半部很普通，木质包裹着石墨芯，常规模样。后半截却首尾相异，改成塑料造的中空管，管里灌满了南非岩石的碎渣滓，五颜六色，绚丽多彩。一块小小的橡皮头，堵住了塑料管开口处。既是塞子，又可涂擦纠错，保留了古典铅笔的功能。

我捏着铅笔，赞道：很好的纪念品。

女友说，其实这种铅笔最大的价值，在于保护树木。要知道，没有人能把一支传统的铅笔，从头用到尾，分毫不剩。发明了铅笔帽,可能好一点,但还是没法百分之百地利用铅笔。无数木材,就这样被短短的铅笔头吞噬掉了。人们对这个问题,置若罔闻了多少世纪,森林越来越少,今后再不能继续下去了。

分手的时候,女友讲了个小小的细节让我猜。

在南非最大的自然保护区——克鲁格国家公园,我们坐着车观赏野生动物。莽原上出没着犀牛、狮子、大象和豹,是猛兽天堂。我们被严令告知,万不可擅自下车,并签了生死自负的文书。车在广漠的高原行进,不时听到狮啸,一种远古的恐惧,嗖地袭上心头。我看到剽悍的导游手持长枪,略略放下心,问他,如果我们被猛兽抓到,你会开枪吗?

会。他简短有力地答复。

紧接着,导游又补充了一句话。你猜说的是什么?女友问我。

这如何猜?你还是告诉我吧。我说。

那导游说道,当你被猛兽捕获,以免你遭受更大的痛苦,我们将开枪把你打死。我们的规定是,不得射杀动物。

热爱说话

和果的对话，非常轻松。她像是一架话语永动机，不待你发问，就把你想知道的问题都说了出来，比你预计的更要清晰明白。

你说，中国汉字里，使用频率最高的偏旁部首是哪个？这是果对我说的第一句话。

果的身份是一家中外合资商场的董事长，雇用着外方的总经理，一言九鼎，威名赫赫。在果的那座身披玻璃幕墙、金碧辉煌玲珑剔透的大厦里浏览时，你不由自主地会想象它的最高领导人可能是位女王。但此刻的果，安静而有学究气，好像是在大学的小组讨论会上。

我不好意思地说，别看天天和字打交道，还真没这个研究。

可能是"提手"旁吧。记得学《诗经》的时候，老师曾说过，那时诗里就有数十个有关手的动词。再说我们这个民族是崇尚行动尊重实干的，"提手"应该最多。我回答。

错。字典里，"口"字旁和"言"字旁的字加起来，构成了中国汉字部首类里最庞大的家族。果非常肯定地说。

这证明，说话是人生中非常重要的一件事，我们的古人早就发现了这条真理，所以才创造出这么多形容说话的词语。在科学不发达的古代,"说"都傲视群雄,到了现代,信息大爆炸,说话就更具有了凌驾一切的力量。

我说的"说话",是一个广义的概念,包括文字。更宽泛地讲,等同信息之意。比如我们两个坐在这里说话,就是传达彼此隔膜的信息。美国总统在派出特使执行重要公务的时候,最后一个程序就是两人促膝交谈,以便让特使最大限度地正确把握总统的思想……这说明谈话是多么要紧的事情。

我热爱谈话。果一字一句地说。

我有些吃惊,虽然我不拒绝谈话,但好像还是第一次听到热爱谈话。果不理会我的惊讶,按照自己的思路侃侃而谈。

一般来说,服从性强、地位比较低下的人,多半意识不到谈话的重要性,因为他更多的是一个执行者,别人说什么,他跟着做就是了,语言好像是多余的。在中国的传统文化里,特别强调"君子讷于言而敏于行",我觉得那是一种上智下愚的思想残余。你若是想让自己智慧起来,并表达这种智慧,让自己的智慧影响更多的人,就必须学会发展、整理、沟通萌芽状态的思想,最简便易行、行之有效的方法就是说话。我给你举一个例子,商场合资以后,外方有许多新的措施,大多数是干了几十年老商业的人闻所未闻的招数,很多人接受不了。我就把所有中层以上的干部用车拉到一处风景胜地,有美丽的草坪和湖水。我在草坪的中央摞起三张桌子,下面聚了一帮身强力壮的小伙子。大家不知我什么意思,说董事长是不是要我们耍杂技啊?我爬上桌子,站在上面,对大家说,现在,我要背对着大家头朝下地栽下去,下面的警卫战士会接住我……高度只有两米多,接应绝无问题,现在你们看着我操作……说完以后,我就义无反顾地一个倒栽葱折了下来,战士把我接住,一切正常。我对大家说,现在,每个人把我刚才的动作重复一遍吧。最先走上桌子的,是我方的副总,他年纪比较大了,腿脚哆嗦,求告我说,我老胳膊老腿的,就免了吧。要不你就撤掉一张桌子,把高度降点。再不然,我脸朝前往下跳,眼睛看着下面,万一出点纰漏,我还能有个自卫动作。千万别让我后脑勺对着地,行不行啊?我说,不成。这项操作是安全的,我已经亲身试验了几十次,绝无问题。它就像我们商场就要施行的改革措施,是有把握的。我们不能因为自己以前没有尝试过,就没有勇气去实践。现在我决定,凡是有魄力从这几张桌子上背着身子跳下来的人,就继续留在商场工作。其他的人,请自动离开。我把话说到这个份儿上,副总还真是好样的,眼一闭,就栽了下来,挺顺利的。后面的人大多数很勇敢,也有个别的,战战兢兢老半天,紫涨着脸总是没动作。我就平静地对他说,你也不必勉强自己,我们马上要进行的改革力度很大,你连这种确有把握的事都做不了,何谈其他?留下来合作是不会愉快的……这次草坪会议以后,那些因循守旧的人走了,改革就大刀阔斧地进行了。

有一个青工,与顾客争吵,还扇了对方一个大嘴巴,我当然不能放过,给了他降级处分和罚款。他不服,扬言要杀我。一天,他举着个沉重的泡沫灭火器,像抡着火药筒,在商场里乱窜,说要灭掉我。大伙都劝我赶快躲躲,说这种亡命徒什么事都干得出来。我说,把他请到我办公室来,我要和他好好谈谈。大家说你就不怕出事?我说,我一个当领导的,被这样的事吓住,以后没法工作了,这才是最大的事呢!

那个青工来了,把灭火器立在我的写字台上,说你不怕死在这屋里？我说，你杀了我，你不值啊！他惊奇道，你是大名鼎鼎的董事长，我不过是小小老百姓，你的命比我值钱多了。我说你听我算一笔账。我是董事长，不管你的事，我也照常拿我的那份钱，可见我要处分你，是为了钱以外的东西。我明知你要杀我，还把你叫到我的办公室来，并且把左右的人都打发开了，你要动手，现在就是绝好的机会，这说明我不怕死。一个人不为钱不怕死，按你的分析，就一定是为了名了。我死在你的灭火器下，成了当然的烈士，登报扬名，万人瞻仰，后代光荣，那是不必说的了。而你是杀人凶手，万人唾骂，将被处以极刑，父母家人跟着受连累，也是千真万确的事情。你本是恨我，反倒成全了我，你考虑考虑，是不是不合算啊？再者，我判断你不是真心要杀我。真要杀人，为了保证成功率，自然是要被杀的人毫无警觉才好，这就是兵法上的出其不意、攻其不备。像你这样嚷嚷得满天下知晓，哪里是要杀人，不过是恫吓。当然我不排除你的铤而走险，但主要是想把我吓得收回成命，恢复你原有的级别，不罚你，你骨子里想的是尊严和钱的问题。爱面子想挣钱，这是好愿望。只要努力工作，在一个奖惩严明效益优异的商场，机会有的是。但钱和光荣不是从天上掉下来的，是顾客送给我们的。你把顾客打走了，砸了大家的饭碗，却还要抢着和大家吃一样多的饭，那就连乞讨都不如。如果你想挣更多的钱，你必须干得比别人更好，这才是正道。青工长久地说不出话来，过了半天才吭吭哧哧地说，如果我干得好呢……我说，你放心，罚得严厉，奖得必也豪气，希望有一天，还是在这间办公室，我把精神奖励和物质奖励一道交到你手里。当那个青工耷拉着头，抱着灭火器从我的办公室走掉以后，竖着耳朵倾听这屋里动静的人们纷纷跑出来说，董事长，您靠

天 涯（局部）

什么化干戈为玉帛？他一路吵嚷，怎么进了你的房门就一声不吭？是不是您会一手美人拳，点了他的哑穴？我说，靠舌头，靠说话啊。世上无数的流血事件，因为误会而生。错误、失误的"误"，偏旁是"言"而不是"心"，很多时候是话没有说到点子上，心灵因此隔膜。

最困难的谈话是和外方总经理。圣诞节快到了，这些年西风东渐，国人也慢慢重视起这个洋节来。商场的舶来品较多，年底成了销售的黄金季节。恰在此时，那老外递上一纸报告，说要回欧洲与家人团聚，共度圣诞。我毫不迟疑地回答他：NO！老外拿来一册他们国家出的日历，指着12月25日的红色数字说，这是法定假日，如果不让他休假，就是侵犯人权，他要控告我。我说，那在你的国家里，是否到了圣诞节，所有的商家一律关门大吉，回家围着圣诞树跳舞？这回轮到他连连说NO了，告诉我圣诞节是一年当中最大的销售高峰，有许多促销的手段要实施。我说，那您为什么要从工作岗位上向后转呢？老外回答，因为这是在中国，你们与这个世界性的节日无缘，商厦由中国人单独上班就行了。我拿出一本中国出的挂历，指着一个日子对他说，您知道这是什么日子吗？老外看了半天，直把浅蓝色的眼珠瞪成了深蓝，也没弄明白，喃喃地说，它靠近情人节的日期，但我真的不明白它有什么独特的意义。我说，先生，请您清醒地记住它。因为在这个日子和它之后的四天里，您将单独在这座数万平方米的商厦里值班售货……外方总经理急白了脸，说，果董事长，你就是报复我，也不能用商厦的利益做筹码。整整五天，你知道它是什么概念吗？无论对你还是对我的国家来说，那都是成吨的金钱啊！我说，尊敬的先生，让我告诉你，那个日子是中国的春节，中华民族最重要的节日。按照您的逻辑，商厦里所有的中国人都应该回家休假包饺子，否则就是侵犯人权。当然应该由您这样的外国人单独上班了。至于利润，让它见鬼去吧！

老外哭笑不得，只得答应坚守岗位。他对我说的最后一句话是，你知道我是谁？你是否把我当成了你们的共产党？我回答他，我当然知道你是谁。你是总经理，是受雇于董事长的，你很明智地表示服从，这很好。如果你执意不肯，我就要行使命令权或是罢免权了。顺便说一句，要是共产党员遇到这种事，我一句话都不必说，他们知道自己该怎样办。

果的故事，一个个说下去，每一个都很有趣，只是她的声音渐渐嘶哑。我说，休息一下吧。果说，说话就是调整脑筋，一个原本不很清晰的概念，在你描述它的过程当中，它就像花瓣一样盛开了，散发出芳香。有质量的说话当然很累，因为它是思想的结晶。我认识一位著名的戏剧演员，平时很少吭声，口渴了，也只是写一个"水"字的纸条递给别人，就是为了把胸中之气积攒起来，到了舞台上音韵洪亮直冲霄汉绕梁三日。

我说，有一句古话：日言百句，其气自伤。

果说，生命的过程就像是一盘磁带，录满我们每个人的话语。若生命结束的时候，听到自己一生所说过的话，有用的比没有用的多，那就是无悔的人生了。

第 三 辑

心中长着岛屿的人

有一些我们久久蕴积肺腑,却表达不出的心结,

被先哲们一语道破,在征途的驿站旁,

等着我们路过。当无意间相逢时,

心会陡地一颤,

紧接着是温暖和相知的潮水涌起。

挖掘心灵
第一图

一位睿智的老人说，在每个人心灵深处，都珍藏着一幅对这个世界最初的印象。它储存在脑海的褶皱中，平时被繁杂的信息遮挡着，好像昏睡的幽灵，不理晨昏。但它是无处不在的，笼罩着我们，统领着每个人对世界的基本视点。好像一纸符咒，规定了我们探询世界的角度。

这话挺玄秘的，有点巫术的味道。我不服，挑战地问，可以当场试试吗？

老人很谦和地一笑，说，一家之言。你可以信，也可以不信。

我说，我恰好知道一个人的心底图像。您若说中了，我就信。

老人淡然回答，行啊。

我说，这个人啊，脑海里留下的最朦胧也就是最原始的印象是——一片无边的荒漠，尘沙漫天，苍黄渺茫。但他周围的小环境不错，好像是一个温暖的怀抱，有袅袅的香气环绕……

说完，我定定地看着老人，且听他如何分解。

老人缓缓说，他的精神世界对立而单纯，沉重而简明。对世界本质的认识充满疑惧，觉得人力无法胜天。宇宙不可知。人是孤独渺小的生物，基调混沌而迷茫。但他还会快乐而努力地活着，时时感受到温情和带着暖意的希望,寻找一个光亮安静芬芳的所在……

说完后,老人问我,他是这样一个人吗?

我抑制住自己的大惊异,说,对与不对,以后我再告诉您。现在,我最想知道的,就是您这种分析的基本方法,能教我一些吗?

老人说,少许心得,不值多说。有点占卜的意味,但并不是街头的摆摊算卦。首先,你让被试者静静地躺下,拼命想早先的事。意识好比柳絮,能飞多远飞多远。回忆的触角竭力向脑仁深处钻,最后变得似睡非睡似醒非醒,一片混沌最好。让人由眼前的明明白白,泡入米汤样的童年。到了再也沉不下去的时候,他的心里就会猛地浮出一幅画。让他把这幅画讲给你听,然后……

老人——道来,我全身心紧急动员,照单接收。老人说,喏,基本思路就这些。剩下的事,看你的悟性了。

我说,您可要传帮带啊。

其后的一段时间,我像个居心叵测的探子,不断启发诱导各色人等,把他们脑海中留下的生命原初印象挖掘出来,一一告诉我,由我再转达老人。老人娓娓道出其中蕴涵的深意,好似隔山买牛。至于那人真实生活中的脾气品性,老人完全不感兴趣,也绝不想知道。在他的眼里,每个人的图谱,就是性格之书打开的目录,他不过是读出来而已。

开头不顺利。第一位男人所谈,简陋得像撕下的小人书碎片。

那幅图像吗?好像是一个黑夜,不知是灯灭了,还是眼睛得了病,总之黑暗包绕……完了,就这些。他干巴巴地舔舔嘴唇说。

他那时黑暗,我此时也黑暗。到处像泼了墨汁,如何分析?只好拼命启发他再想深入些。搜肠刮肚半晌,他补充如下:我摸着黑,仿佛找到一碗粥，就把它喝下去了。我妈妈走过来，眼泪洒在我脸上。很凉……喔，就这些，再也没有了。他坚决地结束了回忆。

真是老虎吃天啊。我沮丧地请教老人，老人说，唔，足够了。他是个悲观主义者，一生都在寻找。他对自己终极寻找的东西究竟是什么，本人也闹不清楚。在这寻找的途中，他会得到温暖和利益的回报，他会很珍视亲情。但这些并不能缓解他寻找的焦虑，冲淡他与生俱来的悲哀，稀释充满他周围的茫茫黑色。

我频频点头，最终也没有告诉老人，那是一位苦苦求索的哲学家的心底图像。反正老人并不需要他人的验证。

一个矮小的年轻人不好意思地说，我的第一图像，似乎没什么好说的，支离破碎。那是我和我弟弟在抢被窝。你知道，我小的时候，家里很穷，打通腿，就是两人合盖一个被筒。谁都想把自

帐 幕

己盖得暖和些，就拼命把被子朝自己身上裹……就这些，整夜抢啊抢的。穷人家的被子，小，遮了这头捂不了那头。我比弟弟个儿大，总是占上风的时候多些。这就是全部了。

老人分析：这个年轻人竞争性很强，在他的眼里，弱肉强食是生存的基本状态。他信奉实力决定一切，因此他会不遗余力地为自己争夺尽可能多的物质利益和生存空间。但他一般不会害人，不会使用特别凶残的手段。在他的内心里，还残存着普天之下皆兄弟的道义。

实际情况：那年轻人个子不高，说苛刻点几乎要算其貌不扬了，加上家境贫寒，按照常理，该是比较自卑的。但他不，一点都不。整天意气风发精神抖擞的，上大学，考研究生，什么都不落空。每当竞争的时候，他总是毫不退却，奋勇向前。计谋算不上很光明正大，但手段也并不卑劣，懂得趋利避害，适可而止。也许是天助加上人和，他的运气一直不错。

一位依旧美丽的中年女企业家告诉我，世界在她眼里，是盘根错节的森林，热带雨林，遮天蔽日的。她在摸索着走，有时是爬，到处都有陷阱和叫不出名字的昆虫，很华丽也很狰狞……下着雨，很冷，有大毛虫发育成的极冷艳的蝴蝶在脖子后面盘旋……

我对这幅图像的真实性，抱有深刻的怀疑。她祖籍北方，从未踏到北回归线以南。再说一个幼小婴孩，想象的出热带雨林的具体模样吗？还有，毛虫和蝴蝶，这样复杂重叠的象征物，也是孩童鞭长莫及的。她的叙述，更像一场成人梦境，一个幻觉。但女企业家谈话时的郑重神态，使我无法贸然认定她在说谎。

老人听完我的转述与疑问，首先说，这是真实的。心灵的真实，不仅仅是亲眼所见,更多的时候,是一种浓缩升华后的感受。哪怕你说图像尽头,是一幅外星球人联欢的图画,我也确信无疑。人的感受有一种特质——无比忠诚。出于种种的利害关系,它可以欺骗别人,但它为自己保留下的图谱,却不会是赝品。这位女性对世界的看法,是荒诞奇诡而又不乏夺人心魄的诱惑与美丽,她应该擅长打拼,奋斗出了很好的成就。她好强,勇于挑战。但在不断的挣扎寻觅中,又感到巨大的孤独与人世的险恶。她臆造了一片热带雨林……

我无话可说。老人就像与那女人相识了一百年,用电脑扫描了她的整个人生,留下一纸谶语。

随着积累人们心底第一幅图像数量的增多,我渐渐发觉探索源头的奥秘,对每个人是一次心灵的剖析和飞跃。知道了自己眺望世界的基本视角,便有了揭示自身很多特点的钥匙。我们也许不能改变它,却可以因此变得更加理智和从容。

老人有一天对我说,你第一次对我描述的那个人,就是在沙漠中睁开眼睛看世界的人,是谁啊?你还没有告诉我。

我说,那个人就是我。我母亲抱着我,行进在从新疆到北京天地一色的途中。

首选护林员

　　我有一套表格，是根据一个人的性格、爱好、才能、本领等特征预测职业选择趋向。当然，结果仅供参考。朋友们知道了，有时会说，嘿，把你那沓表借咱使使，看看天生是从事何种职业的料子，现在还有没有转轨变形的可能性。我嫌麻烦，就说，人家国外都是给大学毕业生或待业青年找工作时才做这种测验，您都七老八十的喽，不说事业有成，也算轻车熟路了，怎么着，还真想重打鼓另开张啊？再说啦，这种表格是外国人设计的，统计数据也是海外的，简单移植过来，不一定准的。

　　我劝阻。但是，几乎没有一个人收回他们的要求，坚持着，从请求到恳求，甚至……哀求（假装的），直到我答应。我从中得到很惊奇的发现——现今社会中，有把握确认所从事的工作正是自己爱好和擅长的人，少得令人叹息。现代人对于职业，普遍在一种不肯定、不确信的状态中游弋，懵懂茫然，期待着来自外界的确认或改变。

　　测验结果，令人瞠目。

　　一位优秀企业家，他的最佳职业选择应是动物学家。

　　一位兢兢业业的公务员，所得结果是民间艺人。

一位电脑工程师，竟是农场主。

一位警察，干脆提示他可以试试做个神职人员。

……

凡此种种，南辕北辙，有的还不符合国情，闹得我对该表很没几分信心了。朋友们的反应，更叫人难以捉摸。不摇头也不点头，讪讪的，淡淡的。更有甚者，神秘莫测地笑笑，一反当初的诚恳和迫切，王顾左右而言他，好似我辛辛苦苦做出的结果和他不相干。

次数多了，我也意兴阑珊。一天，一位很要好的朋友又求做这个表。我懒懒地说，做，可以。只是我做完了之后，无论那个结果怎样出乎你的意料，你都得把真实想法告诉我。她想了有二十五秒，说，好！

她是一家律师楼的合伙人。早年我一听到"合伙人"这个词就想笑，觉得像开卖瓜子的小杂货店，这两年不敢笑了。朋友在业内已声名卓著，物质也大大丰富了，出入香车。我到她郊外巍峨的别墅看过银河（北京城里通常是看不到星星的）。

用处理法律文书的严谨和节奏，她填完了表格。我把测验完成之后，先检查了两遍，然后盯着她问，还记着咱俩的约定吧？

她敲敲自己的头说，律师的脑壳，是电脑加文件柜。

我说，你可以兑现了。

我把测验结果递给她。在职业选择的顺序表上赫然列着——首选护林员。

寂静。在我和她之间，犹如隔着一片被烈火焚烧过的旷地，没有林涛，也没有鸟鸣。我说，反悔了，是不是？我也不明白怎么得出了这结果，你是多么出色的律师啊，我见过你出庭，唇枪舌剑胜似闲庭信步,最大的可能性是这个表错了。

女律师看着我,目光好似看一个嫌犯。她用我从来没听过的声调缓缓说,哦,那表没错,错的是我曾经的选择。刚才那一刻,只有一个念头,就是想掉眼泪。滚滚红尘中,没人知道我的心,包括我的父母和我的丈夫。远远的异国,却有一张不知何人打造出的表格直穿我胸襟,让我和我的灵魂有了一个突然而痛楚的接触,才知道这一生的真爱在百般打压之下依然安在。我愿被遮天蔽日的绿色掩埋,喜欢与世隔绝的静谧和亘古不变的安详。在与人屏蔽的大自然里,听蚯蚓爬过蘑菇根和蝴蝶须子拍破露珠的声响……我从来没对任何人说过这个心愿,以为成功地将它谋杀在少年时代。没想到,它如此鲜活地蛰伏在我内心最幽暗的水塘里,直到这张表钓它到阳光下。我每天忙着,为了许许多多的利益和功名,至今没有机缘走入原始森林一步。我能为树木所做的唯一的事,就是节省几张复印纸。哦,护林员,多好听的名字啊!念起它的时候,喉头充满了松脂的爽滑,连肺也像白纱裙一样鼓胀开来,可惜,我吸进的依然是城市嗅过千百次的废气……

轮到我不知如何回应,唯有沉思。方明白一个人的职业,如果能和爱好契合,将是怎样的幸福。如果背道而驰,不管他依仗智力的超拔和人格的卓绝,凭借外力的援送和机遇的佳美,到达怎样精彩的高度,他内心总不能无拘无束地快活。一个苦苦的祈盼,在沉沉掩埋下愈老弥坚。如同三千年的古莲子,在黑暗中枯燥地坚守,期待有朝一日冲决而出重绽花朵。

你何时回你的森林?分手时我问。特别用了"回"这个字眼。那儿是她心灵的家园。

以眼前这个忙法,等退休以后了。她捋捋满头的青丝,苦笑着说。又补充一句,找的人这么多,只怕退了也安生不下来。只有一个办法,把骨灰撒在白桦树下。

魂灵也要看守森林,上车时她说。

嘘，梦不可说

别说梦。

梦不可说。梦是一团混沌，清醒时的事尚且说不清，昏蒙中的意象岂不更是虚妄。梦是不可描绘的。勉强点染出来，也必不可信。就算浮出脑海的时候，梦还是完整的，醒来时就丢了一半。说出来时，又丢了一半。断了线的地方，犹如豁了牙的嘴，摆在那里漏风，终不美观。于是主人就有意无意地将它修补起来，看起来倒是白闪闪的连贯了，但使人连那真的部分也不相信了。

梦是真的，说了就成了假的。只能留给一个人安静地反刍。它不是一个故事，不需像油炸蝎子似的全须全尾。梦不是给人表演的时装，不需矫饰不需猫步不需赶潮流。梦不是音乐，不需优美不需激荡也用不着震撼。梦是不需要负责任的，因此可宣泄可谵狂可随心所欲可放荡不羁，只要不梦游就行。

那么，梦就真的无以表达了吗？人人都有的一段经历，竟成了盲区。无以交流无以记载，来无踪去无影，袅袅如风吗？

我们看不见风，我们可以从草叶和花瓣的滚动上，看到风的边缘。我们就这样来找寻梦吧。

梦是一种心境，一种气氛。做完了那个梦，我们醒来时的那一

份思绪,便是那梦的几乎全部了。倘是欣喜,不必问梦是什么,快快乐乐地欣喜下去,一天都温馨。这从天上掉下来的礼物,不要问是谁的赠予,尽可能长久地保存就是了。倘是恐惧,赶紧用冷水洗个脸,舒舒服服地另换一个梦做吧。把自己从噩梦里拔出来,犹如把一个萝卜甩掉湿泥,晾在太阳下面。世上确有许多结有恶果的事情,但它们没有一件是因了害怕而可稍微减轻。梦是一件没有结果的事情,更无须怕它。假如遇见了远去的亲人,无论他是在迢迢远方还是已然仙逝,都该相庆。梦是一张黑白相片,会唤起我们悠远的记忆。许多淡忘了的人,栩栩如生地走到我们的面前,笑着同我们打招呼。梦好像给了我们一双格外的眼睛,白天看不到的东西,晚上却那样清晰。感谢梦把我们同纷乱的尘世隔绝,进入一个纯属个人的世界。为了这一份唯一不会有人插足的恬静,纵是在梦中哭醒,也该擦擦眼泪,然后安然。

我们在清醒时几乎什么都可以说了。饮食可说,男女可说,国家大事可说,鸡毛蒜皮可说。语言的原子弹在各个领域爆炸,人类情绪已被剥离得体无完肤。我们越来越理智,越来越渊博,越来越聪颖,越来越果决……言语的锋芒锐不可当,然而梦像一堵坚壁挡住了它。

你无法形容梦。你不知道它从哪里来,你不知道它要到哪里去。人类可以在弹指间制造一条试管生命,人类穷毕生之力无法酿造一个随心所欲的酣梦。

祝愿你做个好梦——这声音已响彻了万千年。当第一个猿人在树叶间被噩梦惊醒后,他就面对上苍发出虔诚的祈祷。人类一次次梦幻成真,唯有梦幻本身无法复现。人类能记录下火星上的沟壑,却无法记录梦的曲折。人类可以破译生命的密码，却无法解释梦的征兆。人类可以把地球上所有的生物分类，却不知自己的梦境是一种什么物质。人类已经向宇宙进军，却连朝夕相伴的梦都模棱两可。

梦是人类的最后一块神秘的处女地，是上苍递给我们的灵魂的幕布。它是远古的祖先一代代积淀下的精神的富矿，它是未来交予我们的无法读懂的复印件。我们的精神在梦境中活泼泼的像蝌蚪一样游弋，把过去与虚幻粗针大线地缝缀在一起，镶嵌神奇的图案。

常常听到人说梦。能说的都不是梦。有的人说的是愿望，由于没有勇气，他把它伪装成梦，梦因此成为功利。有的人说的是谎言，由于没有能力，他把它修饰成梦，先骗自己再骗别人。有的人说的是忏悔，于此想减轻灵魂的罪恶，他其实徒劳。有的人天天说梦，他肯定是一个贫穷到连像样的梦都没有的人。

人们在梦上附加了那么多的锁链，梦就蜷曲着，好像很恭顺的样子。但是，只要睡眠的马车一到，梦的灰姑娘就跳上去，穿着水晶鞋，跳起疯狂的舞蹈。醒来时我们只看到一条条冰雪的痕迹。

并非日有所思，夜就有所梦。并非黑夜是白天的继续。我们常常在梦里变成自己也不认识的人，一定是梦走错了地方。

真感谢梦。我们在梦里多么美丽，我们在梦里永远年轻。

嘘！别说梦。梦不喜欢被说。它是属于你一个人的，说出来就成了公众的财产。在你说的过程中，它就悄悄地飞走了，只给你留下一片梦蜕。

梦最透明的翅膀是自由。

心境防割

旅游的时候认识了一对夫妻，职业是制作防割手套。我问，这手套坚硬到何种程度呢？他们笑而不答，说，回到北京后，你到我们那里参观一下就知道了。

第一眼晤见防割手套，平凡到令人垂头丧气，和普通车工、钳工戴的白线手套没有任何区别，如果一定要找到不同，就是价钱要贵出很多。也许看出了我的不屑，男主人抽出一把寒光四射的匕首握在手中说，你戴上手套，然后，来夺我的刀。细端详，那刀尺把长，尖端像西班牙人的鞋子弯弯翘起，开了刃，血槽深深。我胆战心惊道，这刀可以杀死一只恐龙了，不敢。他又说，那么我戴上手套，请你来割我吧。我说，那干脆就滑到了犯罪边缘，本人奉公守法，恕我也不能从命。他无奈，只有亲戴手套，自己来割自己了。

戴上防割手套的左手有些臃肿，右手执刀杀气腾腾。晶光闪烁的长刃劈下的那一瞬，我骇得紧闭了眼睛。等到哆哆嗦嗦打开眼帘，以为看到的是皮开肉绽、血花翻飞，不想雪白的左手套上只有一道淡淡的痕迹。主人优雅地舒了几下掌，如同少妇的额头被抹上了速效去皱霜，痕迹很快就平复了。

大觉神奇，不由得一试。戴上手套，用刀锋在指掌上反复切割，

先轻后狠。那真是一种奇妙的感受,你能感觉到薄刃的锋芒和杀伐的重量,然而它如溪水掠过,毫发无伤。主人告诉我,看似普通的棉纱里掺进了五百根高弹钢丝。临走的时候,主人送我一副防割手套,笑道,从此你可空手夺刃了。

感叹防割手套的神奇,不由得想到,倘加上十倍百倍之量,用千万根钢丝织就一件背心,披挂在身便心硬如铁了,再没有什么情感的剑戟能刺出血洞,再没有什么理智的矛斧能劈裂成沟壑。享有一颗风雨无摧、刀枪不入的心,岂不万般惬意!

有一段时间,我出门时书包里常带着防割手套,期望着碰上一个行凶的歹徒,冲上去见义勇为又能保全须全尾。然世事虽纷杂,运气却太平,梦想竟无法成真。坚固的防割手套渐渐蒙尘,如同骁勇的大将空白了少年头。终有一天,我在乡下干活的时候,想到委它以新任。花圃中月季正香艳,这是最渴望修剪的花卉。此花盛开之后如不从瓣下第三分叉处刈除,就会花渐小,香渐远,魅力大失。只是那些月季的锐刺尽忠职守,如同美女的贴身保镖虎视眈眈。我手笨,每一回都被扎得十指痛痒。

连刀剑都能阻挡,还怕小小的荆棘吗?我戴上防割手套,所向披靡地抓起了月季花茎。顿时,双手像被蜂群包围,数不清的小刺同时扎入肌肤。慌乱摘下手套查看,七八处鲜血淋漓,实为我充任业余园丁以来受伤最惨痛的一次。

原来,这特制手套能够防止长刀短剑的切割,却并不能阻止细小毛刺的楔入。钢丝绞结的缝隙是小针出入自由的高速路。

那天,我贴着大约十张创可贴完成了剪枝工作,一边挥舞园艺剪一边想,悲哀啊,看来十万根钢丝也无法保证我们的心境不受损毁。

在生命的所有季节播种

更不消说，人是不能每时每刻都裹在钢丝里面的，那样我们将丧失对人间百态的灵敏触碰和对风花雪月赏心悦目的叹息。

你想葆有你对世界的好奇和快乐吗？你必须除去心的伪装，敞开你的心扉。心必将一生裸露着，狂风为它梳洗，暴雨为它沐浴。心没有蓑衣，也没有斗笠。心会受伤，心也会流血，这就是心的功能啊。

把心藏在钢铁中，且不说钢铁也是有缝隙的，就算心境防割，心再也不能活泼地游弋，那才是心最大的哀伤呢。关于这种悲惨的境况，古语中有一个恰如其分的词，叫作"心死"。

一个心理健康的人，心可以流血，自己就能撕下衣襟止血；心可以撕裂，自己能够飞针走线地缝合。他可以有累累的创伤，更会有创伤愈合之后如勋章般的痕迹。

界限的定律

记得当年学医时,一天,药理学教授讲起某种新抗菌药的机理,说它的作用是使细菌壁的代谢发生障碍,细菌因此凋亡。菌壁消失了,想想,多吓人的事情。好似兽皮没了,骨和肉融成一锅粥,破破烂烂黏黏糊糊,自身已不保,当然谈不到再妨害他人。可见,外壳,也就是界限,是非常重要的。如果丧失了界限,那么,这种生物的生存和发展也就处于极大的危机中了。

教授讲的是低等生物,高等生物又何尝不是如此。界限这种东西,是古老和神奇的。动物会用气味笼罩自己的势力范围,没有现成的界桩,就会用自己的尿标出领地。界限也是富有权威和统治力的。国与国之间如果界限不清,就孕育着战争。人与人之间如果界限不清,就潜藏着冲突。账目不清,是会计的犯罪;扯皮推诿,是官员的渎职。清晰的界限,象征着健康和尊严。什么叫一个新生命的诞生?就是从融合中分离,在混沌中撕裂出了一个完全独立的个体,建起崭新的界限体系。人与人的界限如果消失了,那么人的特立独行和思索也同时丧失,随之而来的是精神的麻木和思维的蒙昧。

外壳之外,是彼此间的距离。在欧美的礼仪书里,特别注明人与人之间的最低社交安全距离是十七英寸。这个标准,也要入境随

俗。比如咱的公交汽车，正值上下班高峰，小伙的前心贴着姑娘的后背，别说十七英寸，就连一点七英寸也保证不了。只有见怪不惊，理解万岁。可见界限这个东西，是有弹性的。

身体需要界限，心理何尝不是如此，特别是夫妻，无论何时，都不可消融了自我的界限。无论怎样情投意合，终是不同的个体，不可能完全一致。如果真是完全一致了，天天和一个镜子里的自我如影随形，岂不烦死。

界限有一个奇怪的定律——拉近的时候很容易，分开的时候很艰难。倘若你能灵活地把握一个度，在这个区域里，旗帜飞扬，如鱼得水，那么，你和对方都是惬意和自由的。假如你轻率地采取了不断缩小距离的趋势，那么用不了多久，双方不可扼制地融为一体。之后，在短暂的极度的快意之后，无所不在的矛盾一定披着黑袍子，敲响门窗紧闭的爱情小屋。界限复活了，如同蔓草在各个角落疯长，分裂的纹路穿插迂回，顽强地伸直自己的触角。球队结束了休息，下半场比赛的口哨重新吹响。物极必反说的就是这个道理，不管你记不记得它，它可忘不了你。界限一旦残破了，恰似古代的丝裙，修补起来格外的困难，需极细的丝线极好的耐心极长的时间。

人是感伤和怀旧的动物。人们较能接受迅速拉近的距离，却无法忍耐在一度天衣无缝的密结之后，渐行渐远。通常会痛楚狭隘地把这种分离，理解为爱恋的稀薄和情感的危机。所以，当你忘情地飞速消弭彼此界限的时候，已把易燃易爆的危险品，裹挟进了情感列车。

为你的心理定一个安全的界限吧。也许是一点七寸也许是二点七尺，人和人不一样，不必攀比。在这个界限里，睡着你的秘密，醒着你的自由。它的篱笆结实而疏朗,有清风徐徐穿过。在修筑你的界限的同时,也深刻地尊重你的伴侣的界限。两座花坛在太阳下开放着不同的花朵,花香在空气中汇为宽带。不要把土壤连在一起,不要一时兴起拔出你的界桩。甚至不要尝试,每一次尝试都会付出代价。不要以为零距离才是极致,它更像一个开放罂粟的井口。如果你一时把持不住自己,想想药理学教授的话吧。我猜你一定不愿你的婚姻成为一摊融化的细菌。

从伊甸园带走的礼物

亚当和夏娃从伊甸园离开的时候,带走了两样礼物。这是两样什么东西呢?我考过一些人。有人说,是树叶吧?夏娃既然已经穿在身上了,当然要带着走。有人说,是那个唆使他们吃了智慧树上的果子的坏蛋,为了报仇雪恨。要不然凡间为什么会有各式各样的毒蛇?还有人说,一定是个苹果核。夏娃既然吃了果子,觉得香甜可口,肯定要把种子偷偷掖在身上……

正确的答案是:上帝震怒,要把亚当和夏娃赶出伊甸园。亚当俯视了一眼人寰,看到万千磨难险象环生,怕自己和夏娃凄苦煎熬,恳请上帝慈悲,送他们几种消灾免难的法宝。上帝想了一下,说,好吧,就送你们两样东西吧。一个是休息日,另一个是眼泪。于是,亚当和夏娃携带着上帝最后的礼物,从温暖美丽的伊甸园坠入水深火热的人间。

初次听到这个故事的时候,我还年轻。觉得上帝实在小气,休息是自己的,眼泪也是自己的,还用得着您老人家馈赠吗?完全可以自产自销。累了,就躺倒休息,伤心了,就放声哭泣,这有什么难的?如何能算礼物呢?太简陋寒酸了,不如送来更浓的芬芳和更脆甜的瓜果。

年岁渐长，又做了心理医生，从自己的苦恼和他人的困惑中，才悟出休息和眼泪真是无与伦比的宝贝。

休息是什么呢？是山高路远跋涉其间喝茶的闲暇，是无所事事坐看星辰秋风落叶的散淡，是百无聊赖的伸长懒腰和迷迷瞪瞪的困倦，是三五死党鸡零狗碎的游走和闲谝……这指的是懈怠的休息，还有一种更奋不顾身的休息。到高处攀登，到深海潜藏，从苍穹坠落，与猛兽同眠……求的是冷汗涔涔的刺激，收获的是惊世骇俗的风险，甚至搭上了性命也在所不辞。无论休息的外套怎样千变万化，有一个共性永存其中——那就是它真的什么也不创造，除了快乐；它什么都消耗，最主要的是时间和金钱。

再说说眼泪吧。人可以因为各种原因流眼泪，包括大喜过望和义愤填膺的时刻。眼泪几乎是除了大小便外，我们能主动排泄的唯一体液了。不信你试试，如果不是火热的劳动和过度的紧张，你想命令自己出汗，并非易事。

眼泪是从最靠近我们大脑的双眼之穴涌流出来的，单单这一点，就让人充满了奇妙和敬畏。眼泪可以把我们恶劣的心境和强烈的情感，溶解在其中，将那些毒素排出，而将圣洁和宁静沉淀下来还给我们。泪水冲刷洗涤着昏暗的双眸，让它们恢复清洁和明亮。它是心灵火山爆发的岩浆，苦涩之水前赴后继地滴落，需要大量新鲜的血液涌入大脑。脉管偾张血流澎湃，就像黄河水漫灌了苦旱的平川地，于是万物复苏、草木葱茏，思考的藤蔓随之萌芽延展。

现代人放弃休息鄙夷眼泪，他们以为这是不值一提的废物，如同办公室里被粉碎了的过期纸渣。将休息从自己的日程表中放逐，其实是一种慢性自杀。号称从来都不流一滴眼泪的硬汉子，说得悲惨

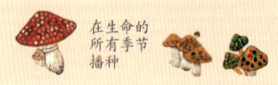

在生命的所有季节播种

勇敢的心（局部）

点，就是被阉割了情感的怪物。

　　让我们在该休息的时候休息，在该流泪的时候哭泣。这不是上帝送给亚当和夏娃的礼物，而是你自己传给自己的生命秘籍。

心理学教授的弟子

一位心理学教授,在录取报考她的研究生时,勾掉了得分最高的学生,取了分数略低的第二名。有人问,你是不是徇私舞弊或是屈服于什么压力,才舍高就低?

她说,否。我在进行一项心理追踪研究,或者说是吸取教训。

她是德高望重的学者,在专业范畴内颇有建树,别人一定要她讲讲录取标准。她缓缓地说,我已经招了多年的研究生,好像一个古老的匠人。我希望我所热爱的学科,在我的学生手里发扬光大。老一辈毕竟要逝去,他们是渐渐黯淡下去的苍蓝。新的一辈一定要兴旺,他们是渐渐苏醒过来的嫩青。但选择什么样的接班人呢?我以前总是挑选那些得分最高、看起来就兢业业、学习刻苦、埋头苦干,像鸡啄米一样片刻不闲的学生,我想唯有因为热爱,他们才会如此努力取得优异的成绩,因此,他们应该是最好的。我在私下里称他们为"苦大仇深型"的学生。

许多年过去了,我有从容的时间,以目为尺,注视他们的脚步,考察他们的历史,以检验当年决定的命中率。

我发现自己错了。在未来的发展中最生龙活虎、最富有潜质并且宠辱不惊成为真正的学科才俊的是那样一种人——他们表面上像狮子一样悠闲，甚至有点漫不经心和懒散。小的成绩并不能鼓励他们，反而让他们藐视般的淡漠。对于导师的指导和批评，往往是矜持而有保留地接受，使得他们看起来不很虚心。多少有些落落寡合，经常得不到众口一词的称赞。失败的时候难得气馁灰心，几乎不需要鼓励。辉煌的时候也显不出异样的高兴，仿佛对成就有天然的免疫力。他们的面部表情总是充满孩子般的好奇，洋溢着一种快乐，我称之为"欢喜型"。

"苦大仇深型"的学习者，主要是为了改善自己的生存状态，追求科学知识给自身带来的优裕与好处。一旦达到目的，对于科学本身的挚爱就渐渐蒸发，代之以新的更敏捷的优化生存状态的努力了。作为一种生活方式的选择，自然无可厚非，但作为学业继承者，则不是最好的人选。

"欢喜型"的学习者，也许一开始他们走得不快，脚力也并不显出格外的矫健，但心中的爱好，犹如不断喷发的天然气，始终燃烧着熊熊的火焰，风暴无法将它吹熄。在火光的引导下，"欢喜型"的人们边玩边走，兴趣盎然地不断攀登，绝不会因路边暂时的风景而停下脚步，直到高远的天际。

心理学教授说，几乎世上所有的事，都可以划分成"苦大仇深型"和"欢喜型"。比如读书，若是为了一个急切的目的而读，待事过境迁，就会与书形同路人。如果真是爱好喜欢，就会永远将书安放枕边，梦中与书相会。

——— 第 四 辑 ———

生命深处充满智慧的天真

去认识自己的长处,将它发扬光大,

去接纳那些不可改变的东西。

当你能够坦然地面对自己的时候,

其实也就可以坦然地面对世界

——放下包袱后,你才可以轻装前进。

一念三千里

"念"来自法显和尚从印度带回国的《摩诃僧祇律》。第十七卷中说:"一刹那者为一念,二十念为一瞬,二十瞬为一弹指,二十弹指为一罗预,二十罗预为一须臾,一日一夜有三十须臾。"

一日一夜有三十个须臾。推算下来,一个念头的具体时间长度为零点零一八秒。念头比闪电还快!它起于精微,源自无明。产生之后见风就长,跨越天地时空,纵横驰骋风驰电掣。念头可分好坏。它一动,就有倾向发生。要么是善,要么是恶,要么善恶夹杂。你纵有亿万千念头,也逃不脱这窠臼。

念头组成了命运。所有人的生活,无不源自这经纬复杂繁多变幻的念头。念头生生不息,我们奔波不已。一旦念头止息,生命也就终结。从这个意义上说,念头是组成我们生命质量的金色颗粒。念头交织,故"一念三千"。

此典出于佛教的天台宗。隋朝智者大师号称"东土小释迦",他认为人的当前一念心,就具有三千种法的内容,从而也就显现出宇宙的全体。苦乐升沉,光明黑暗,都从一念而起,故要从一念深处净化自心。

喜欢这说法,有时会向友人结结巴巴学说一番。某朋友听后若有所思道，哦哦，一念三千里。

我说，没有"里"，一念三千。

他说，佛理深奥，我也不大搞得明白。加上一个"里"字，便成了俗语。念头和念头之间的差异，只怕是三千里之遥，也打不住的。

他的这个话，离开了庄严佛经，潜入了诡谲江湖。念头如果有颜色，可不得了。有吉祥的红色，有土豪的金色，有杀戮的猩黑，有春意的绿蓝……每个人的内心如同最斑斓的调色盘。念头如果有重量，有重达千钧的，有轻如鸿毛的，有不轻不重但黏腻难缠的，有随生随灭云淡风轻的……每个人的内心，如同翻滚着一锅关东煮。

念头如果有年龄，有从一而终贯穿几十年甚至整整一生的，有速生速灭秋水无痕的，有历久弥坚的，有余音袅袅的，有稍纵即逝永不再现的，有忠贞不渝化成木乃伊也坚守初衷的。念头如光。零点零一八秒之间，纵横三千里，这是什么速度？算下来一秒钟跑八万多公里，可绕地球两圈多。

心的容量如此之大，运转如此迅捷，名目如此繁多，善恶如此纷杂，到了令人惊悚的地步。我热衷于看电视中的法制节目，尤其爱看抓住罪犯后的审讯过程，屏气凝神。

某些供述，难以置信的简单。为什么要杀人？

回答，并没有想把他打死，只想教训一下，谁知，人就死了。

谈到投毒，会说，只是开个玩笑。

肇事逃逸，致使原本可以救助的伤者命丧黄泉，司机解释，因为害怕。

将相识多年的恋人杀死，凶手抽噎，太爱了……

凡此种种，我以前多半认为罪犯避重就轻，借故推托，搪塞说谎……不过，当我懂得些心理学知识并加以仔细观察之后，却发现很多竟是真话。更有当初穷凶极恶的魔鬼，会一脸错愕哆哆嗦嗦地说，脑海中一片空白，完全不知怎么想的。

一念三千里。

一个念头所导致的结果，或许并不是在那个念头萌生之初，就可以准确预判完整的。念头念头，只顾"头"，不顾尾，锋利无比。这世上的事情，本不应太快，太快了，就有灾难尾随其后的可能。

一个念头和一个念头之间，可能一在天堂一在地狱，好骑手应能驾驭选择。让念头刹车转弯，让念头褪色重染，让念头从容消遁，让念头春风吹又生。好的念头，如一个浮力优等的筏，在脑海中辗转腾挪无惧风浪。它的生命力当千万亿倍于零点零一八秒，直到我们按照它的指引，做出后续美好的行动。把好念头变成好行动，让好念头层出不穷落地开花，乃是人生要务。

心宁度

这两天因为西藏阿里建起了中国第一座暗夜公园,我学会了一个新词——视宁度。

什么叫视宁度呢?就是当你在晴朗的夜晚举头仰望星空的时候,你视野中的稳定度。如果你觉得这还费解,那么请正宗的科学家们原谅我的无知和冒昧,我斗胆来个通俗化的理解就是——你看到的星星闪不闪?

天上的星星主要是恒星,它们之所以得"恒"之大名,是因为自己能恒定地发出光焰,而不是像月亮似的靠反射别人的亮光以自美。恒星们前赴后继汹涌澎湃地明亮着,它们不闹情绪、不罢工,不会失恋似的忽闪不停。但我们看到的恒星,很多时候的确会出现像姑娘受惊时的睫毛颤动般的乱象。这绝非恒星们的本来面貌,而是视宁度不良造成的结果。

简言之,视宁度就是表示空气宁静程度的参数,大气层的乱流湍动是造成视宁度不佳的根本原因。功率再强大的天文望远镜,如果脚下安身立命的天文台所在地视宁度不良,它们也就英雄无用武之地,观测到的星际成像分辨率会大打折扣,甚至完全不能工作。所以,世界上顶级的天文台,一定要建造在高山之巅,概因那里的视宁度较好，少受干扰，可以观测到更多的天体细节。

视宁度是天文观测非常重要的先决条件，没有好的视宁度，你就看不清这个宇宙。

由此，我想到了一个新词——心宁度。

人间纷繁喧嚷，就如同大气层的乱流湍动。你无法让大气层停止运动，那样的结果是天地死寂生命萎缩，但你又想要尽可能真切地了解这个世界，决定自己的应对攻伐。你还要真切地了解自己，这是更要麻烦的部分。星星不需要了解自己，它们本身是没有生命的自然之物。而每一个温暖且有行动能力的人，则是既要了解这个世界，也要了解自己。对于爱恋中的女子来说，你还必须了解你所爱之人的精髓。这需要由内向外安静观察的心宁度。

心安宁的首要条件，是对这个世界，放下不切实际的幻想。世界并不会因你的到来而敲锣打鼓龇出白牙粲然一笑。

它大张着嘴，露出的很可能是一对想将你撕伤的犬齿。世界并不会因了你的美貌聪慧和天真可爱萌，就送你光鲜前程和温柔爱人。也许正因为它已经给予了你某些天赋，而预备了买一送一的苦难和各色考验作为包装纸。世界可说是一个吝啬的客栈，它为你铺设下的被褥绝不会让你高枕无忧，它为你摆好的餐桌上安放的是一个空碗且千疮百孔。你要自己学会安眠并寻找食物，还要提防着不被鼠窃狗偷。而在这一切之上，还有你的理想，你要踏踏实实地向着它挺进。

如果你打算寻找一个爱人，他或她就一定生龙活虎地在这个世界的某个犄角旮旯存在着。在这一点上，这个世界可谓通情达理且脾气不错。它仁慈地为你准备好的不是仅有的一个人，常常是一类人。但究竟哪一类人最适合你，它知道底细却狠心不告诉你，你这个当事人只有自己苦苦思索。你想打探，可惜问谁都没用。问你爹妈不行，问你师长不行，问你的闺密更不成，她被自己的事儿折磨得五迷三道，给你出的主意基本不靠谱。你只有自力更生，用一颗安宁的心，明澈的眼，细细寻找隐匿的答案。注意哦，不是寻找那个人，而是先寻找那一类人的标准。有了标准，寻找就有了方向和底气。如果没有标准，就是误打误撞，瞎猫碰死耗子。撞到了是你的福气，撞不到是你的大概率。

心宁才能排除干扰，心宁才能知此知彼，心宁才能胜不骄败不馁一往无前，心宁才能在命运面前观察到更多细节，看到胜利的微光和危险的端倪。心宁才能在婚姻出现裂隙的时候，有勇气和耐心操刀持针修补它；心宁才能在生活露出支离破碎猥琐不堪一面的时候，固守底线沉着应对，不绝望不放弃，逆风行进，就算匍匐在地也是低姿向前。

心宁是个宝。提高了我们的心宁度，才能不闪烁不遮蔽地直视前方。心宁，一生就系上了幸福的安全带。

暖 风

直面你的心宁度

关于心宁度,我设计了一个小测验。它未曾经过任何严格的科学测试,是我自己琢磨出来的,仅供参考。您可别一听到测验就紧张起来,完成的方法挺简单,也没有对错之分。你只需按照提示,自己给自己打个分数即可。得分可分三档,1分或是0分,还有过渡分值。如果有点吃不准或是界限不清,就得0.5分好了。最后一步是把你的得分加起来。心记怕不准确,就随手找张纸用笔头记下来。记不清了也没关系,再做一遍就是。它们并没有绝对正确的答案,只是一种如实描述。

准备好了,咱们就开始。

1.你是否几乎是每顿饭都要把自己吃了什么,拍下来发到朋友圈里?特别是到国外、出差时或是受到宴请时会如此?

如果是,你就得0分。如果不是,就得1分。如果有时你这样做,有时又不会,就得0.5分好了。

2.你是否在手机出了故障,一时和大家失去联系的时候惶恐不安?生怕人家找不到你(怕老板除外),怕自己错过了重大的消息,心中惴惴。

如果是,得0分。如果不是,得1分。如果介于两者之间,就酌情打个零点几的分数吧。

3. 你是否能全然接受自己的出身和家庭阶层？对父母并无怨怼之情？

这一条可能会令你一时难以回答。好在答案你可以不给任何人看，只要对自己坦诚就是。如果是，得1分。如果不是，得0分。当然如果你的答案是1分，愿意告诉父母或别人，当然也可以。如果是0分，我劝你千万不要说。但依我的经验，如果你是0分状态，刻薄的话你早已说过了。即使你未曾说出口，在心中也充满忧愤地重复过无数次了。这道题目，就不设0.5分的分值了。不给大家留似是而非的余地，是就是是，不是就是不是（有点像绕口令，对不起，请原谅，好在意思大家都明白）。

4. 你是否在超市排队结账或是驾车通过收费站时，会紧张地判断哪一队会速度较快，推着购物车东跑西颠或驾车拐来拐去？如果万一自己站的这一队出了故障，变得比较慢时，会后悔甚至焦躁不安吗？

这道题比较轻松，你只要如实填写就是了。如果是，对不起，就是0分。如果不是，就得1分。若时而这样时而不这样，那就依自己的频率，打出0.1~0.9的不同分值好了。

5. 你是否独自一人吃饭、候车、候机或坐地铁、塞车等红灯、等人时，会忍不住看电视听广播或是不停看手机，总之，就是不能自己一个人安安静静地独处？如果是，请打0分。如果不是，请打1分。如果并不绝对，那么请按照上一题的方法，打出0.1~0.9的不同分数吧。

6. 你是否会忽视春夏秋冬的季节变化？只有到天气特别热或特别冷的时候，实在无法忍受了，忙着换衣服时，才突然醒悟到季节更迭时光飞逝?

　　这道题比较适用于北方中原地区,东北也大致适用。南方四季变化不很明显的区域,可略作修改,改成:草木之变、花开花落你可曾注意到? 不要只是在气温影响自己的身体时,才感知大自然起承转合的流变。如果是,就是 0 分。如果不是,就得 1 分。容许 0.1~0.9 分之间的变动。

　　7. 你有多长时间没有和父母促膝谈心? 如果超过一个月,就得不到这一整分了。我所说的谈心,是触及内心深处的交流,而不是简单的逢年过节过生日时的小礼物,或嘘寒问暖地说些千篇一律的客套话。它不是仪式上的交流,而是心与心的对接。

　　如果是半年内有过内心交流,可得 0.3 分,如果超过了 6 个月,就没有分可得了。

　　8. 每天晚上,你能在 15 分钟之内就安然入睡吗? 基本上不做骇人听闻的噩梦? 不重复出现某一令人焦灼的场景和人物? 一觉醒来,充满了期待和力量?

　　如是,得 1 分。如不是,得 0 分。这道题,没有中间的过渡分。

　　9. 你有多长时间没有向着一朵花一棵小草一株树凝视并微笑? 如果超过了一个月,得不到这 1 分。

　　这道题看起来很简单,甚至有点杯水兴波。但我坚持写入测验,让曾经有过这种体验的人,拿到 1 分,并不设中间过渡分。我坚持认为,养成向一朵花致敬习惯的人,会一直这样做,无须理由,自在快乐。而没有这种欣赏眼光的人,基本上是无趣干瘪的人生。

　　和别的题目稍有不同,偶尔出现的凝视,不算数。

　　10. 你在多长时间内,曾抬头仰望星空,心中感慨宇宙和生命这

类看起来虚无缥缈的命题？中秋节元宵节请别计算在内。看月亮时捎带看到星星的，也不算。浩渺无涯的天际，是值得我们久久瞩目的。尽管由于雾霾，在城市中能够看到星空的日子很稀罕，但你是否还在坚持这种尝试？如果在超过一个月的夜晚，你不曾仰起头来眺望苍穹，原因可以举出很多，比如没时间没机会没场地没想到……不管出自何种解释，原因看起来是多么合情合理无懈可击，但很抱歉，这1分就不能给了。

此题，也不设中间过渡分。

好了，现在，你已经大体得出了自己的分数。是多少呢？你可以不告诉我，不告诉你的亲人，但请你告诉自己，你对这个分数到底满意不满意呢？我个人认为，得分高，心宁度就好。反之则差。

当心宁度较高的时候，我们观察这个世界与认识我们自己，就比较清晰，所做的决定就比较可观可行，内心世界就比较安稳恒定……

祝福你得个好分数！

研究真诚

过了国庆,过了中秋节,心理学研究生班课堂,大家有一种久别重逢的亲切感,掺着节后的倦怠。

老师让大家谈谈过节的感受。冷了一会儿场,不知道大家是怎么想的,我的感觉是很突兀。我们习惯于默默无闻地过节,被人猛地一问,有些不知所措。

零星有人举手,大概是怕老师尴尬吧。先回答的人,都说节无新意,有的简直可以说在叹息——过节就是过节呗,和以往的节没啥不同的……节很累,系上围裙炒菜,解了围裙洗衣,节是给别人过的。

老师微笑说:"'节是谁的'这话倒是很有点意思,留待我们以后再详加讨论,我们还是说中秋这个节日吧。在华人世界,这是一个仅次于春节的大节日啊!节日要过得有趣才有纪念意义。比如我认识的一家人,过节也不给小孩子买新衣服,也不吃好东西,这样的节日真是过不过的没什么差别了。"

大家就笑起来。

一笑,气氛就活跃些了,有同学小声说:"过节我回家了,可是在家里待着,好像没有在同学们之间舒服。"

这话引起了一些人心底的共鸣。因为在这个班级里，充满了温暖的气氛，但外面的世界依旧沿着落满灰尘的轨道盘旋，于是我们成了在两个世界间游走的贝壳，冷暖自知，难以言说。

今天的正课是研究"真诚"。这是一个古老的话题了，但近年来受到了大挑战，"真诚"成了"愚蠢"的代名词。

我个人很喜欢"真诚"这个词，喜欢它的光明和干净。

词是有自己的属性的，比如"猥琐"一词，你一看到它，就觉得自己身上发霉、糊满蟑螂。"甜蜜"这个词则让人好似被蜂王浆噎了一嗓子，甜得憋气。"真诚"有一种岩石般的纹理和坚定，不风化，不流失，不油腻，爽洁清晰，反射着钢蓝色的金属光泽。

焦点集中在——真诚是一种方式还是一种境界？真诚有没有层次的分别？

有同学问了老师一个极富挑战性的问题——您是很真诚的，但有没有人说过您虚伪？在当代大学生里，好像流行着一种说法，真诚是一种更狡猾的虚伪。

课堂内一时很寂静。我看到老师的眸子快速向右上方移动，知道她在郑重思考。片刻之后，老师说："没有，没有人说过我虚伪。起码是当面没有人这样说。至于背后是怎样说的，我不知道。它不在我的关心范围之内。"

老师启发道："一个小孩子，对一个成人说，你身上真臭啊。然后又对别人说，那个阿姨身上有一种臭味。这事真不真呢？肯定是真的，但这是一种低级水平的真诚。真诚是有讲究的。"

我举手，获准后发言。我说："我喜爱真诚。我的很多朋友也这样评价我。很多人用他们自己的视角来看世界，以为凡是真诚的人就无法幸福地生活，必然会被世俗的车轮辗得粉身碎骨，即使不粉碎也遍体鳞伤，甚至顺水推舟，演变成因为你事业成功和家庭完整，又有良好的人际关系，所以你必然是虚伪的。

"我以为，真诚是一种勇敢坦诚的生活态度，它是我们思想和行动的出发点和归宿。真诚不虚张声势、狐假虎威。它似乎因清澈透明而软弱无力，但它其实是强韧而富有弹性的，使我们简洁明快、干爽清正。

"真诚是一门艺术，有一个执行的秩序，这就是真善美。真诚可以分解为真实和坦诚，它本身是很有力量的，起码比虚伪有力量，不怕对证盘查，经得起推敲和考验……

"但仅仅有真实是很不够的。真实的出发点可以是完全不考虑他人的感受、不看全局、不从长远出发，单纯的真实使用不当，会具有事与愿违的杀伤力。加上了'善'这个缰绳，真就升华了，不再是本真，而有了一种更全面更伟大的品格。至于'美'，我觉得是怎样更精彩地表达我们的真实。一种长袖善舞，一种大象无形……"

教室内一时鸦雀无声。我从这种寂静中，感到声援和赞成。

老师总结道："真诚是有层次的，可以分成建设性的和破坏性的两种。愿每个人从此都更多更丰富地向这个并不美好的世界，贡献我们建设性的真诚。"

流露你的真表情

学医的时候,老师问过一道题:"人和动物在解剖形态上的最大区别是什么?"

当学生的争先恐后地发言,都想由自己说出那个正确的答案。这看起来并不是个很难的问题。

有人说:"是站立行走。"先生说:"不对,大猩猩也是可以站立的。"

有人说:"是懂得用火。"先生不悦道:"我问的是生理上的区别,并不是进化上的。"

更有同学答:"是劳动创造了人。"先生说:"你在社会学上也许可以得满分,但请听清我的问题。"

满室寂然。

先生见我们混沌不悟,自答道:"记住,是表情啊。地球上没有任何一种生物有人类这样丰富的表情肌。比如笑吧,一只狗再聪明也是不会笑的。人类的近亲猴子勉强算作会笑,但只能做出龇牙咧嘴一种表情。只有人类,才可以调动面部的所有肌群,调整出不同的笑容,比如微笑,比如嘲笑,比如冷笑,比如狂笑,以表达自身复杂的情感。"我在惊讶中记住了先生的话,以为是至理名言。

近些年来，我开始怀疑先生教了我一条谬误。

乘坐飞机，起飞之前，每次都有空姐为我们演示一遍空中遭遇紧急情形时，如何打开氧气面罩的操作。我乘坐飞机凡数十次，每一次都凝神细察，但从未看清过具体步骤。空姐满面笑容地屹立前舱，脸上很真诚，手上却很敷衍，好像在做一种太极功夫，点到为止，全然顾及不到这种急救措施对乘客是怎样的性命攸关。我分明看到了她们脸上悬挂的笑容和冷淡的心的分离，升起一种被愚弄的感觉。

我有一位相识许久的女友，原是个敢怒敢恨、敢涕泪滂沱、敢笑逐颜开的性情中人。几年不见，不知在哪里读了淑女规范言行的著作，同我谈话的时候身子仄仄地欠着，双膝款款地屈着，嘴角勾勒成一个精致的角度。粗一看，你以为她时时在微笑，细一看，你就捉摸不透她的真表情，心里不禁有些发毛。你若在背后叫她，她是不会立刻回了脸来看你，而是端端地将身体转了过来，从容地瞄着你，说骤然回头会使脖子上的肌肤提前衰老。

她是那样吝啬使用她的表情，虽然她给你一个温馨的外表，却没有丝毫的温度。我看着她，不由得想起儿时戴的大头娃娃面具。

遇到过一位哭哭啼啼的饭店服务员，说她一切按店方的要求去办，不想却被客人责难。那客人匆忙之中丢失了公文包，要她帮助寻找。客人焦急地述说着，她耐心地倾听着，正思谋着如何帮忙，客人竟勃然大怒了，吼着说："我急得火烧眉毛，你竟然还在笑，你是在嘲笑我吗？"

"我那一刻绝没有笑。"服务员指天咒地对我说。

看她的眼神，我相信是真话。

"那么，你当时做了怎样一个表情呢？"我问，恍恍惚惚探到了

一点头绪。

"喏,我就是这样的……"她侧过脸,把那刻的表情模拟给我。

那是一个职业女性训练有素的程式化的表情,眉梢扬着,嘴角翘着……

无论我多么同情她,我还是要说,这是一张空洞漠然的笑脸。

服务员的脸已经被长期的工作,塑造成她自己也不能控制的状态。

表情肌不再表达人类的感情了,或者说它们只表达一种感情,那就是微笑。

我们的生活中曾经排斥微笑,关于那个时代我们已经做了结论。于是我们呼吁微笑、引进微笑、培育微笑,微笑就泛滥起来。荧屏上著名和不著名的男女主持人无时无刻不在微笑,以至于使人不得不产生疑问,我们的生活中真有那么多值得微笑的事情吗?

微笑变得越来越商业化了。他对你微笑,并不表明他的善意,微笑只是金钱的等价物。他对你微笑,并不表明他的诚恳,微笑只是恶战的前奏。他对你微笑,并不说明他想帮助你,微笑只是一种谋略。他对你微笑,并不证明他对你的友谊,微笑只是麻痹你的一重帐幕……

这样的事见得太多之后,竟对微笑的本质怀疑起来。

亿万年的进化,我们的身体本身就成了一本书。

人的眉毛为什么要如此飞扬,轻松地直抵鬓角?那是因为此刻为尘战的间隙,我们不必紧皱眉头思考,精神得以豁然舒展。

人的上眼睑肌为什么要如此松弛,使眼裂缩小,眼神迷离,目光不再聚焦?那是因为面对朋友,可以放松警惕敞开心扉,放松自己紧张的神经,不必目光炯炯。

人的口角为什么上挑,不再抿成森然一线?那是因为随时准备开启双唇,倾吐热情的话语,饮下甘甜的琼浆。

因为快乐和友情,从猿到人,演变出了美妙动人的微笑,这是人类无与伦比的财富。笑容像一只模型,把我们脸上的肌肉像羊群一般驯化了,让它们按照微笑的规则排列,随时以备我们心情的调遣。

假若不是服从心情的安排,只是表情肌机械的动作,那无异于噩梦中抽筋,除了遗留久久的酸痛,与快乐是毫无关联的。

记得小时候读过大文豪雨果的《笑面人》,一个苦孩子被施了刑法,脸被固定成狂笑的模样。他痛苦不堪,因为他的任何表情,都只能使脸上狂笑的表情更为惨烈。

无时无刻不在笑——这是一种刑罚,它使"笑"这种人类最美丽最优美的表情,蜕化为一种酷刑。

现代自然没有这种刑罚了,但如果不表达自己的心愿,只是一味地微笑着,微笑像画皮一样黏附在我们的脸庞上,像破旧的门帘沉重地垂着,完全失掉了真诚善良的原始含义,那岂不是人类进化的大退步、大哀痛?

人类的表情肌除了表达笑容,还用以表达愤怒、悲哀、思索、惆怅乃至绝望。它就像天空中的七色彩虹,相辅相成,所有的表情都是完整的人生所必需的,是生命的元素。

我们既然具备了流泪的本能,哀伤的时候就该听凭那些满含盐分的浊水淌出体外。血脉偾张、目眦俱裂,不论是为红颜还是为功名,未必不是人生的大境界。额头没有一丝皱纹的美人,只怕血管里流动的都是冰。表情是心情的档案,如果永远只是空白,谁还愿把最

重要的记录留在上面?

当然,我绝不是主张人人横眉冷对。经过漫长的隧道,我们终于笑起来了,这是一个大进步,但笑也是分阶段,也是有层次的。空洞而浅薄的笑如同盲目的恨和无缘无故的悲哀一样,都是情感的赝品。

有一句话叫作"笑比哭好",我常常怀疑它。笑和哭都是人类的正常情绪反应,谁能说黛玉临终时的笑比哭好呢?

痛则大悲,喜则大笑,只要是从心底流出的对世界的真情感,都是生命之壁的摩崖石刻,经得起岁月风雨的打磨,值得我们久久珍爱。

紧 张

一个有趣的游戏,两人一组,其中一人会拿到一些纸条,上面写着字——都是人们常有的一些情绪,比如高兴、漠不关心、嫉妒、疲倦已极……

拿到纸条的人,要按照纸条上的指示,做出相应的表情和行动,让另外的那个人猜。

例如,甲看了看手中的纸条上的字迹,沉思片刻后开始表演。先是豹眼圆睁,辅以一个箭步上前,右手揪住假想中的某人脖领,同时挥出弧度漂亮的左勾拳,击中那人腮帮……

乙在目睹了甲的表情和行动以后,也沉思片刻,然后大声说出他解读出的对方情绪——"愤怒"。

甲人颔首道,基本正确。不过,我手中的纸条上写的是"狂怒"。

乙说,嗨!如果是"狂",你的这个表达等级,味道尚欠浓烈。倘若换我,一般的愤怒,就已达到这个档次。真到了狂怒阶段,还要加上怒发冲冠拳打脚踢暴跳如雷虎啸龙吟……

这个小游戏,说明人和人之间并不是很容易沟通的。人们通常按照自己表达情绪的方式来理解他人。

但人和人之间,仍是可以沟通的。需要语言的帮助和长久的磨合。程度差异很大，可以一叶知秋，也可落英缤纷。

我很喜欢玩这个游戏，可以更深刻地感知他人的内心，察觉人群的异同。正是这种无休无止的差异，造成了人的丰富多彩和无数悲欢离合。

某次，我遇到了一位有趣的合作者。他是一位老板。

拿了字条开始表演。目光炯炯，眉头紧皱，身板僵直，双手攥拳……

我绕着他走了三圈，思索不出他这番表演的内涵，求助道：你能不能示意得再明确些？

他是个好商量的人。思忖片刻后，加上了一个表情：嘴角紧抿……

我还是百思不得其解，只得求饶道：猜不出猜不出，我投降，快告诉我底牌吧。

他把纸条伸给我，上面写着——焦虑。

想想，也有道理，某些人焦虑的时候，就是这副沉闷苦恼的模样。

第二轮测验开始。他看了一眼手中新的纸条，开始表演：目光炯炯，眉头紧皱，身板僵直，双手攥拳……

我丧气地说，不行，再具体些。

他就又加了一个表情——嘴角紧抿……

天啊，我一筹莫展。甚至想，这一堆测验的纸条里，不会有两张"焦虑"吧？

我说，完了，我弱智了，请你告诉我吧。

他手心摊开，我看到了谜底：沮丧。

▶ 纳凉图

沮丧是这个样子的吗？我不服气地说，你的表演有问题，沮丧的时候，目光通常是低垂的。

但是，我沮丧的时候，就是如此，聚精会神的。他很诚恳地说。

我只得服输。是啊，你不能否认有些人虽败犹荣，屡败屡战，永远目光如炬。

再一次轮到他表演的时候，我格外当心。看到他拿了纸条，踌躇了一下，然后胸有成竹地开始演示。

目光炯炯，眉头紧皱，身板僵直，双手攥拳……

看到我的茫然愁苦的模样，他善解人意地加上了一个补充动作——紧抿嘴角……

我极快地调侃道，干脆杀了我，我无法破译你的密码。

轮到他吃惊，说，我有那么神秘吗？其实，这一次，我表达的是一种很平和的情绪——"安静"！

我几乎昏了过去，说，您的大驾尊容，居然能称得上是安静？！我想，当你自以为安静的时候，周边的人，绝不敢打扰你。

说者无心，听者有意。他静默了片刻，一拍大腿说，喔，你这样一讲，我就明白了，为什么我以为自己慈祥的时候，大家依然说我严厉……

那一次令人难忘的游戏，它的结尾有些苦涩的味道。因为我的这位朋友，无论他拿到写着怎样字迹的纸条，他的表情都像一个模子里抠出来的：目光炯炯……嘴角紧抿……甚至当"爱情"出现的时候，他也如此刻板和冷峻。

我问他，你成家了吗？

他说，成了。但是，又散了。

我说，还打算成吗？

他说，暂时没有打算。

我说，没有的好。

他说，你为什么这样说？

我说，我的意思是，你若不把表情修改一下，即使有了女朋友，也会莫名其妙地走开。

我后来同这位老板详细地探讨了他的表情。他说，我一个当老板的，哪能事事都流露在面上，让人看个透明？我这是深沉。我说，表情的僵化和不动声色，并不能画等号。对家人和对谈判对手，哪能一样？周恩来可算是大家，他的表情就丰富得很，并非整天板着阶级斗争脸。咱们常常羡慕外国的老板当得潇洒，其中重要一条——就是他们真实。当怒则怒，当喜则喜。况且，老板也是人，也有七情六欲。事业做得好，人也要活得自然、自在。

后来，我和这位老板进行了比较深入的谈话，才明白在他那千篇一律的面具之后，准确地说，既不是焦虑，也不是沮丧，当然更不是安静，而是——紧张。

紧张，是现代人逃脱不掉的伴侣。

紧张的时候，我们的心跳加快，瞳孔睁大，呼吸急促，血流湍急……我们的思索急迫而锋利，我们的行动敏捷而有力。

紧张这个词，很多年以前，被写进一所著名大学的校训。我想，那时它一定是有的放矢，有着历史的必然和辉煌的功绩。

时代在发展，如今，当我们不再从战火和铁血的角度看待紧张的时候，紧张就有了更多可探讨的意义。

短时间的紧张，很好，会使我们焕发出非凡的爆发力。不过，世界上的事情，一蹴而就的，肯定有，但终是有限。大量的成功，孕育在日积月累的跋涉。紧张是一百米短跑，成长则是马拉松比赛。长久的紧张，如同长久的鞭策一样，是不能维持的，它会导致反应的迟钝。紧张可以应对一时，紧张却无法达至永恒。

紧张是一种无休止的激动，是一种没有间歇的高亢，是一种针插不进水泼不进的致密，是一种应急和应激的全力以赴。

你见过没有起落的江河吗？你听过没有顿挫的乐曲吗？你爬过没有沟崖的山峦吗？你走过没有悲喜的人生吗？

紧张是面具。紧张的下面，潜伏着怎样的暗流？换句话说，什么导致我们长久僵硬的紧张？

紧张的人，思维是直线而不是发散的，因为他的注意力太集中了，心就无旁骛。当我们的视野中只有一个目标的时候，它是收束和狭窄的（不是指远大的唯一的目标，是指运筹帷幄的策略）。我们的显意识之下，是辽阔的潜意识。当紧张的时候，理智和经验就占据了上风，而人类在长久的进化中所积累的本体感觉，被抑制和忽略。所以，紧张的人，很容易累。因为他是在用百分之五的能力，负载着百分之百甚至更高的压力，怎么能集思广益化险为夷呢？

紧张的人，其实是不安全的。他处于风声鹤唳之中，对自己的位置和处境，有深深的忧虑。他大张着自己所有的感官——眼睛瞪着，耳朵开放，手脚绷紧，呼吸也是浅而快的……他的全身就像一架打开的雷达，侦察着周围的一草一木。

他因袭着以往的重担，关注着周围的一举一动，他无法平和地看待他人和自己。紧张的人，睡眠通常不良。因为在睡梦中，他也不由自主地睁着半只眼睛。

旧时光（局部）

打个比喻。什么动物最易于紧张呢？通常一下子就会想起老鼠兔子麻雀之类的，大都是弱小的谨慎的没有强大的防御能力的生灵。如果是老虎狮子大象甚至蟒蛇，我们想起它们的时候，可以觉得它们或懒洋洋或佯装安宁，但我们不会浮现出它们是紧张的这样一个印象。在突袭猎物的时候，它们快则快矣，狠则狠矣，你可以痛恨它，但它依然是从容和大智若愚。它们不紧张。

再举南极洲的企鹅为例，这些穿西服的鸟们，似乎也没有伶牙俐齿可供攻伐猎物与保障自身，胖墩墩的战斗力不强，但是，它们毫无疑义的不紧张。因为，不是来自它们自身的强大，而是没有人类的迫害和袭扰，它们尚不知紧张为何物。

所以，紧张不是强大，只是懦弱的一件涂着迷彩的旧风衣。

紧张往往使我们看问题的角度趋向负面。因为不安全，所以防御感强。假如在判断不清的时候，首先断定对方是有敌意和杀伤力的，考虑自己怎样防卫怎样规避怎样逃脱……紧张会使我们误会了朋友的友谊，曲解了爱情的试探，加深了创伤的痛楚，减缓了复原的时机。在紧张的时刻，决定往往是短期和激烈的。

紧张的时候，我们无法清晰地聆听到他人真实的声音。我们自身澎湃的血流，主导了我们的听觉。我们看到的可能并非真实的世界，因为自身的目光已经有了某种先入的景象。我们无法虚怀若谷地接纳他人的意见，因为自己的念头依然盘踞在心。我们难以深刻地反省局限，因为注意力全然集中对外，内心演出了一场空城计……紧张就是如同凹凸镜一般，变形了真实的世界，让我们进入高度的备战状态。

紧张的人，是很难和别人和睦相处的。紧张的人，通常落落寡欢慎言忧郁。紧张的人，孤独寂寞。他们可以置身于灯红酒绿车水马龙当中，好似应者云集，但他们的心，多疑多虑，挛缩成一块石头。

人们很推崇的一个词——大将风度。我以为其中极重要的组成部分，就是不紧张。每一行真正的高手，几乎都是举重若轻温柔淡定的。草船借箭诸葛空城，功夫在诗外，无论形势多么危急，他们成竹在胸。无论己方多么孤立，他们胜券在握。哪怕局面间不容发，他们眼观六路，耳听八方。

大将不紧张。

心理测验的批发商

常常听到朋友们说:"嗨!我刚做过了一个心理小测验,分析结果说我是怎样的人,实际上我并不是那样的人。从此,我就不相信心理学了。觉得净骗人,和江湖上算命的差不多。"

也有朋友说:"我做过一个小测验,那真是太准了。以后,我只要看到报刊上有这类文章,都会兴致勃勃地拿来一做,还迫不及待地推荐给别人。好玩不说,真是灵验啊。"

这类大致以"看穿你的心"为名的小测验,如烂漫山花,弥漫四周。类似巫师发出的咒语,具有蛊惑人心的魔性。

我从来不做,不是因为斟酌它灵或是不灵,只是觉得一门严肃的科学,被随意拿来消遣,如同殷墟的甲骨,砸碎了煎汤,太轻慢。

有的测验,说你想象自己正在画画。画的是什么?国画?油画?山水风景?美人佳肴?萝卜白菜?信笔涂鸦?抽象挥洒?你可知它们说明了什么?

有的测验,假设大家正在等电梯。你是一直仰头看着表示电梯层数的数字?还是不耐烦地频频揿着按钮?要不干脆利用这个时间,欣赏一下同样苦等电梯的美眉的超短裙?

人们充满了好奇。就算有人对外部世界不好奇,对自己也难逃

好奇之箭。谁不想知道在三千烦恼丝包裹之中的颅骨下,栖息着怎样的奥秘?它在暗中支配着你的一颦一笑,操控着你的命运舵轮,你不能对它一无所知。假若年老,生命之纸已然破旧,涂了很多若明若暗的图谱,余下的天头地角也不宽裕了,不找也罢。年轻人则更希望多了解自己。未来对于他们,具有更柔软的可塑性。

某天,碰到一位美丽女子,长发飘飘。她妩媚一笑说:"我和您是同行。"

我这半辈子从事过好几种职业,一时不知道她指的是哪一行?问:"你是军人吗?是内科医生吗?或是写作?要不你开了心理诊所?"

她笑笑说:"都不是。"

我纳闷道:"那咱们同的是哪一行呢?"

她说:"我编心理小测验。"

我说:"原来报刊上登的那种心理小测验,都是你编出来的。"

她很谦虚地说:"不敢当,哪能都是我编出来的呢?我一个人没有那么大的能量。"

我说:"在哪里读的心理学课程呢?"

她第三次笑了,说:"没有读过心理学课程。如果我真读了相关的课程,很可能就不敢接这活儿了。"

我纳闷:"你的这种测验,是怎么编出来的呢?"

她看了看四周,很神秘地说:"如果是别人问我,我就不告诉他。因为尊敬您,所以,全盘告知。"

我一下子有点紧张。凡是听到人谈到秘密的时候,第一个反应就是想上厕所并且有点害怕。要是将来一旦秘密泄露了,岂不要担干系?

美丽的女子款言道:"您不用怕,其实这也是半公开的诀窍。一般的人,以为是先编好了测验的故事,再来确定答案,其实,不然。是先设计好了不同的人会有怎样不同的反应,然后再来设计前缘。"

我说:"能举个例子吗?我还是不大明白。"

美丽女子说:"比如,人们面对突然的巨响,会有不同的判断和应对模式。谨慎而且惜命的人,首先想到的是安全问题和自保。勇敢和喜爱助人的人,首先想到的是一探究竟和挺身而出。教条和僵化的人,很可能麻木和迟钝,不能审时度势。胆小如鼠的人,当然是惊慌失措和打哆嗦了。你先把各种人不同的反应方式找到,然后再反推回来,设计出相应的情境,不是就水到渠成了吗?你顺势即可编一个心理小测验:春天,你和朋友们正在郊外空旷的草地上用餐,突然电闪雷鸣并且听到野兽的吼叫,你会采用哪种方式:

A. 堵起耳朵,哭泣,瘫倒在地。

B. 用身体掩护朋友,说,不要慌,有我呢!说着拿起一根粗壮木棒,警惕地四处巡查。

C. 一句话也不说,撒腿就跑,看到不远处有一个土坑可以藏身。

D. 抬头看看天,佯作镇定说,临来之前我查了资料,天气晴朗,这一带没有大型野兽,不必害怕。

按照刚才咱们前面说到的逆推理法,相应的分析,很容易完成,不过举手之劳。

我目瞪口呆:"就这么容易?"

美丽女子说:"这还算比较复杂的呢。有时候,简单的心理小测验，我一天能编出十多条呢！一条能赚几百块钱，您可以算算收入。我真要感谢喜欢心理学的人，他们爱看，报刊才会登，我拿了稿费，才有余力买漂亮的裙子。"

我试探地问："如果我把你的创作过程告诉更多的人，你会不会断了生意？"

她爽快地说："不会。总有人喜欢神秘又无法验证的东西，我就是一个心理测验的批发商。"

——— 第 五 辑 ———

无 所 挂 碍 的 心

每个人都有一部精神的记录，

藏在心灵的多宝格内。

关于那些最隐秘的伤疤，

除了我们自己，

没有人知道它陈旧的纸页上滴下多少血泪。

压抑也许成癌

感觉是一切虚幻事件的核心,它从未确立过任何事情,但又和任何事情息息相关。情绪是埋在所有真实上面的浮土,不把它们清理干净,真相就无从裸露。

传统的教育,教导我们要忍让,要宽容,要忘却。然而长久的压抑会带来更大的反弹,积攒的痛苦如暴风骤雨般袭来,霹雳能将我们击为灰烬。

没有哪一样事物,通过压抑,可以自然而然地消失。地球内部的压力,会通过火山爆发来释放。水库的压力,会通过堤岸崩塌、洪水溃泄而释放。身体的不适,会演变成急病,让你不得不全神贯注地解决。金钱的压力,会恶化成破产。感情的压力,会走向分道扬镳。所以,要学会循序渐进地释放压力,千万不要忽略了小的不安。它们摞起来,会把精神压弯。

人们常常以为抑郁的人是没有能量的,我们看到他们萎靡不振,好似一团沾满灰尘的瘫软抹布。但其实,压抑是一种极大的能量,不信你看抑郁的人,他们可以决绝地自杀,从高处一跃而下,这需要何等的胆量和执着。千万不要轻视了抑郁的人,以为他们没有能力改变。能量执拗地存在着,只是失却了方向,不是向外攻击就是向内攻击。

尊重你的情感,并不是要情感直接做出决定,而是尊重情感的波涛起伏;不是压抑情感,而是疏通情感。中医说,不通则痛,通则不痛。先要将痛苦纾解开来。拧成一团乱麻的情绪症结,简直就是毒药。用不着外界的纷扰,单是内心的混乱,就完全能导致崩溃了。该恨谁,就在心中将他诅咒千遍,可以用最恶毒的字眼,只是不要让别人听到。你救赎的是自己的灵魂,和他人无关。如果还不解气,就把一个抱枕靠垫或荞麦皮枕头当作替罪羔羊,扔到地上拳打脚踢,直到羽绒飞扬、遍地鹅毛也在所不惜,荞麦皮漏撒一地,就慢慢扫起。假如怒火还未消,就在纸上写上仇者的姓名,然后明明白白地写出:我恨你!恨你……

我教过一个朋友这招,他呲呲嘴说,做不来。

我说,为什么呀?这并不是很难的动作啊!如果你找不到安静的地方,我可以把自己的家借给你。哪怕你声震九霄,也没有人会听到。

他说,那不是像个神经病吗?!

我说,怎么会!你压抑得太久,已经忘了如何来表达愤怒。整天装在西装革履的套子里,已经没有真的血肉。接触自己最内在的情感,它既然存在着,就必有其合理的走向。就像当年大禹治水,不是围追堵截,而是疏导引流。现在,你的情绪像堵车一样塞在一起,神经通路已完全不畅通,哪能做出英明决定?听我的,开始吧。

他犹疑着说,这很不习惯。

我说,是啊,你已经习惯了掩藏和压抑。其实,凡是在我们心灵中存在的能量,无论是正面的还是负面的,压抑都是有害的。你

压抑了正面的能量，本该你承担的义务，你偏偏躲闪；本该你做出的决定，你犹豫不决；本该你担当的职务，你假装谦虚拱手相让……你以为你这是大度，是高风亮节，是安全敦厚，其实不过是懦夫。而且那些被压抑的能量，迅速地凝变成了牢骚、怀才不遇、指手画脚、不在其位而谋其政，让人厌烦……这还算是好的，因为你把能量的矛头对准了外界。

更糟糕的选择，是缄口不语，把一切真知灼见藏在肚皮里，愣愣地旁观这个世界，在无人的风口抚胸长叹。向内攻击的结果也是以自身为假想敌，罹患种种疾病……被压抑的能量化作钢刀，在胸廓之内到处乱戳，也可能跑到哪里聚成块垒，就成了凶险的癌瘤。至于那些原本就是负面的能量，得不到宣泄，会更为虎作伥，肆无忌惮地向外攻击，最极端的变成了杀人的冲动也说不定。所以，情绪是万万压抑不得的，就像高压蒸汽，一定要给它找一个出口。不然，等着吧，爆炸是免不了的。

我所推荐的抱枕法，是一个简便易行、安全可靠的方法。只要你养成了习惯，对于让你万分不舒服的事，直面相对，找到问题的症结，把脾气宣泄出去，你会觉得云开雾散，月朗风清，精神就轻松了好多。

你可能半信半疑地说，好吧，我相信你一回，这样猛烈地自我发泄一通，情绪或许能平稳一些。但是，发泄完了，情况还是那个情况，现状还是那个现状，于事无补啊！

不！不是这样的！情绪遮挡着视线之时，我们能看到的出路是很少的，有时简直就是大雾弥天，日月无光。当我们安静下来，心灵的能量就渐渐呈现出来，就能发现很多被震怒的荒草遮掩的曲折小径。

你可能还是不信,希望你什么时候试一试。这法子成本不高,至多就是把抱枕摔开线了,芦花四扬,也没什么了不起的。我就曾经把一个枕头摔开了线,之后心平气和地把开线之处缝起,虽略损美观,但并无大碍。

有人能摸索出其他适合自己的方法排解幽愤,这也很好。比如阿甘,他的法子就是跑步,无休止地跑,在步履交替的过程中,他慢慢疗治了自己的创伤。

怎么样,朋友?你找到蒸发自己情绪的好法子了吗?如果你已经找到了,恭喜你啊,这样你就比较能面对真实的自我,不会把自己压抑出癌症来。

倾听，是你的魅力

我读心理学博士方向课程的时候，书写作业，其中有一篇是研究"倾听"。刚开始我想，这还不容易啊，人有两耳，只要不是先天失聪，落草就能听见动静。夜半时分，人睡着了，眼睛闭着，耳轮没有开关，一有月落乌啼，人就猛然惊醒，想不倾听都做不到。再者，我做内科医生多年，每天都要无数次地听病人倾倒满腔苦水，鼓膜都起茧子了。所以，倾听对我应不是问题。

查了资料，认真思考，才知差距多多。在"倾听"这门功课上，许多人不及格。如果谈话的人没有我们的学识高，我们就会虚与委蛇地听。如果谈话的人冗长繁琐，我们就会不客气地打断叙述。如果谈话的人言不及义，我们会明显地露出厌倦的神色。如果谈话的人缺少真知灼见，我们会讽刺挖苦，令他难堪……凡此种种，我都无数次地表演过，至今一想起来，无地自容。

世上的人，天然就掌握了倾听艺术的，可说凤毛麟角。

不信，咱们来做一个试验。

你找一个好朋友，对他或她说，我现在同你讲我的心里话，你却不要认真听。你可以东张西望，你可以搔首弄姿，你也可以听音乐、梳头发，干一切你忽然想到的小事，你也可以环顾左右而言他……

总之,你什么都可以做,就是不必听我说。

当你的朋友决定配合你以后,这个游戏就可以开始了。你必须拣一件撕肝裂胆的痛事来说,越动感情越好,切不可潦草敷衍。

好了,你说吧……

我猜你说不了多长时间,最多三分钟,就会鸣金收兵。无论如何你也说不下去了。面对着一个对你的疾苦、你的忧愁无动于衷的家伙,你再无兴趣敞开襟怀。不但你缄口了,而且你感到沮丧和愤怒。你觉得这个朋友愧对你的信任,太不够朋友。你决定以后和他渐疏渐远,你甚至怀疑认识这个人是不是一个错误……

你会说,不认真听别人讲话,会有这样严重的后果吗?我可以很负责地告诉你,正是如此。有很多我们丧失的机遇,有若干阴差阳错的信息,有不少失之交臂的朋友,甚至各奔东西的恋人,那绝缘的起因,都系我们不曾学会倾听。

好了,这个令人不愉快的游戏我们就做到这里。下面,我们来做一个令人愉快的活动。

还是你和你的朋友,这一次,是你的朋友向你诉说刻骨铭心的往事。请你身体前倾,请你目光和煦。你屏息关注着他的眼神,你随着他的情感冲浪而起伏。如果他高兴,你也报以会心的微笑。如果他悲哀,你便陪伴着垂下眼帘。如果他落泪了,你温柔地递上纸巾。如果他久久地沉默,你也和他缄口走过……

非常简单,当他说完了,游戏就结束了。你可以问问他,在你这样倾听他的过程中,他感到了什么?

我猜,你的朋友会告诉你,你给了他尊重,给了他关爱。给他的孤独以抚慰,给他的无望以曙光。给他的快乐加倍,给他的哀伤减半。你是他最好的朋友之一,他会记得和你一道度过的难忘时光。

这就是倾听的魔力。

倾听的"倾"字,我原以为就是表示身体向前斜着,用肢体表示关爱与注重。翻查字典,其实不然,或者说仅仅做这样的理解是不够全面的。倾听,就是"用尽力量去听"。这里的"倾"字,类乎倾巢出动,类乎倾箱倒箧,类乎倾国倾城,类乎倾盆大雨……总之殚精竭虑毫无保留。

可能有点夸张和矫枉过正,但倾听的重要性我以为必须提到相当的高度来认识,这是一个人心理是否健康的重要标志之一。人活在世上,说和听是两件要务。说,主要是表达自己的思想情感和意识,每一个说话的人都希望别人能够听到自己的声音。听,就是接收他人描述内心想法,以达到沟通和交流的目的。听和说像是鲲鹏的两只翅膀,必须协调展开,才能直上九万里。

现代生活飞速地发展,人的一辈子,不再是蜷缩在一个小村或小镇,而是纵横驰骋漂洋过海。所接触的人,不再是几十一百,很可能成千上万。要在相对短暂的时间内,让别人听懂了你的话,并且在两颗头脑之间产生碰撞,这就变成了心灵的艺术。

现今鼓励青年励志的书很多,教你怎样展现自我优点,怎样在第一时间给人一个好印象,怎样通过匪夷所思的面试,怎样追逐一见钟情的异性……都有不少绝招。有人就觉得人际交往是一个充满了技术的领域,是可以靠掌握若干独门功夫就能翻云覆雨的领域。其实,享有好的人际关系,学会交流,听比说更重要。

从人的发展顺序来看,我们是先学着听。我之所以用了"学着"这个词,是指如果没有系统的学习,有的人可能终其一生,都没能学会如何"听"。他可以听到雪落的声音,可他感觉不到肃穆。他可以听到儿童的笑声,可他感受不到纯真。他可以听到旁人的哭泣,却体察不到他人的悲苦。他可以听到内心的呼唤,却不知怎样关爱灵魂。

从婴儿开始,我们就无意识地在听。听亲人的呼唤,听自然界的风雨,听远方的信息,听社会的约定俗成。这是一种模糊的天赋,是可以发扬光大也可以湮灭无闻的本能。有人练出了发达的听力,有人干脆闭目塞听。有很多描绘这种状态的词,比如"充耳不闻"、"置若罔闻"……对"闻"还有歧视性的偏见,比如"百闻不如一见"。

听是需要学习的,它比"说"更重要。如果我们没有听到有关的信息,我们的"说"就是无的放矢。轻率的人,容易下车伊始就哇里哇啦地说,其实沉着安静地听,是人生的大境界。

只有认真地听,你才能对周围有更确切的感知,才能对历史有更深刻的把握,才能把他人的智慧集于己身,才能拓展自己的眼界和胸怀。

读书是一种更广义的倾听。你借助文字,倾听已逝哲人的教诲。你借助翻译,得知远方异族的灵慧。

倾听使人生丰富多彩,你将不再囿于一己的狭隘贝壳,潜入浩瀚的深海。倾听使人谦虚,知道山外有山天外有天。倾听使人安宁,你知道了孤独和苦难并非只莅临你的屋檐。倾听使人警醒,你知道此时此刻有多少大脑飞速运转,有多少巧手翻飞不息。

倾听是美丽的,你因此发现世界是如此五彩缤纷。倾听是幸福的一种表达,因为你从此不再孤单。

倾听是分层次的。某人在特定的时刻，讲了特定的话，只有当我们心静如水，才能听到他的话后之话。年轻人最易犯的毛病是——他明白所有倾听的要素，也懂得做出倾听的姿态，其实呢，他在想着自己待会儿要说的话。他关注的不是述说者，而是自己。"佯听"是很容易露馅儿的，只要他一开口讲话，神游天外的破绽就败露了。两个面对面述说的人，其实是最危险的敌人。一切都被心灵记录在案。

倾听是老老实实的活儿，来不得半点虚假和做作。倾听是对真诚直截了当的考验。所以，如果你不想倾听，那不是罪过。如果你伪装倾听，就不单是虚伪，而且是愚蠢了。

当我深刻地明白了倾听的本质而不是仅仅把它当成讨好的策略后，倾听就向我展示了它更加美丽的内涵，它无处不在，息息相关。如果你谦虚，以万物为师长，你会听到松涛海啸雪落冰融，你会听到蚂蚁的微笑和枫叶的叹息。如果你平等待人，你的耐心就有了坚实的基础，你可以从述说者那里获得宝贵的馈赠。这就是温暖的信任和支撑。

年轻的朋友们，让我们学会倾听吧。当你能够沉静地坐下来，目光清澄地注视着对方，抛弃自己的傲慢和虚荣，微微前倾你的身姿，那么你就能听到心与心碰撞的清脆音响，宛若风铃。

得柴图（局部）

可否让我陪你哭泣

哭泣是一种本能，古代人却害怕它。因为哭泣代表着一种极端状况的发生，人们本能地回避。

我说过，自己在妇产科工作时经手接生过很多婴儿。假如是顺产的孩子，他们降生后的第一反应就是号啕大哭。其实，这种音响的本质不应该被称为"哭"，他们从温暖的子宫降生到外界，感受到了寒冷，再加上压力骤然解除，肺部扩张，强力地吸入空气，就发出了人们称为哭喊的声音。实话实说，这种啼哭并不哀伤，只是一种体操。

我觉得真正区分哭泣的哀伤程度的，是眼泪。

其实哭是可以分成两种的，流泪的和不流泪的。没有眼泪的哭泣，更多的是压抑。只有那种泪流汹涌、滴泪沾襟的哭泣，才有更大的宣泄和排解压力的作用。

洋葱也会让我们流泪，不过这种泪只是一些成分简单的水分。而人们因为悲伤流出的泪，含有大量的激素。

悲伤或愤怒的眼泪包含着脑啡肽，是大脑缓解疼痛的溶解剂。哭泣触动了分泌与释放激素的化学物质，排出了造成压力的激素。这是一种宝贵的外分泌过程。我们要找回哭泣的能量，好好利用这个武器。眼泪能排毒啊。

聆听别人的痛楚，常常让我们觉得难以忍受。

有一阵子，我的诊所里接二连三地来了一些丧失亲人、须做悲伤治疗的人。他们之中少数人是无声地哭泣，让眼泪顺着面颊汹涌而下。大部分人会撕心裂肺地痛哭，几乎声震寰宇。

诊所的工作人员说，她在外面都听得到声如裂帛般的哭声，我近在咫尺洗耳恭听，如何受得了呢？

我说，事实上并没有你想象的那样难挨。天下之人，其实难以找到可以放声一哭的地方。从这个角度来说，他或她，能够让我陪伴着痛哭，是给予我极大的信任啊。

在朋友的交往中，也常有这种情境。

如果你觉得不可忍受，多半是因为这痛苦也正是你掩藏的创口。别人的叙述，像一柄挖掘的铲，让你的陈血也开始喷溅。这种时刻，你不要轻易放过。如果你不能倾听，可以躲开，但要讲清自己不是厌倦，而是无力支撑。我相信真正的朋友会理解这一点的。如果不能理解，也就不可久交了。

但你歇息下来的时候，不要轻易放过那稍纵即逝的痛楚。

我猜，身体已经习惯于包裹最深的弹片，轻易不愿触动。不过还是要把它挖出来，虽然一段时间内会血流不止，不过伤口终将愈合。如果一直遮掩着，倒有可能导致精神的败血症。

感动是一种能力

"感动"在词典上的意思是——"思想感情受外界事物的影响而激动,引得同情或向慕。"虽然我对这本辞典抱有崇高的敬意,依然认为这种说法不够精准,甚至有点词不达意。难道感动是如此狭窄,只能将我们引向同情或是向慕的小道吗?这对"感动"来说,似乎不全面、不公平吧?感动比这要丰饶得多,辽阔得多,深邃得多啊。

感动最望文生义最平直的解释就是——感情动起来了。你的眼睛会蒸腾出温热的霞光,你的听觉会察觉远古的微响,你的内心像有一只毛茸茸的小松鼠越过,它纤细而奔跑的影子惊扰你思维的树叶久久还在曳动。你的手会不由自主地出汗,好像无意中拣到了天堂的房卡,你的足弓会轻轻地弹起,似乎想如赤脚的祖先一般迅跑在高原……

感动的来源是我们的感官,眼耳鼻舌身加上触觉和压觉。如果封闭了我们的感官,就戮杀了感动的根,当然也就看不到感动的芽和感动的果了。感官是一群懒惰的小精灵,同样的事物经历得多了,感官就麻痹松懈了。现代社会五光十色瞬息万变,感官更像被塞进太多脂肪的孩子,变得厌食和疲沓。如今人们渐渐丧失了感动的能

力，感动闪现的瞬间越来越短，感动扩散的涟漪越来越淡。因为稀缺，感动变成了奢侈品。很多人无法享受感动力，于是他们反过来讥讽感动，诒笑感动，把感动和理性对立起来，将感动打入盲目和幼稚的泥沼之中。

感动是一种幸福。在物欲横流的尘垢中，顽强闪现着钻石的瑰彩。当我们为古树下的一株小草绝不自惭形秽，而是昂首挺胸成长而感动，其实我们想到的是人的尊严。我上小学的时候，在一次考试中，得到了有生以来最差的分数。万念俱灰之时，我看到一只蜘蛛锲而不舍地在织补它残破的网。它已经失败了三次，一次是因为风，一次是因为比它的网要凶猛百倍的鸟，第三次是因为我恶作剧的手。蜘蛛把它的破坏者感动了，风改了道，鸟儿不再飞过，我把百无聊赖的手握成了拳。我知道自己可以如同它那样，用努力和坚韧弥补天灾人祸，重新织出梦想。我也曾在藏北雪原仰望浩渺星空而泪流满面，一种博大的感动类似天毯，自九天而下裹挟全身。银河如此浩瀚，在我浅淡生命之前无数年代，它们就已存在，在我生命之后无数年代，它们也依然存在。那么，我的存在又有什么意义呢？在这个惶然的瞬间，我被存在而感动，决心要对得起这稍纵即逝的生命。

我喜欢常常感动的女人，不论那感动我们的起因，是一瓣花还是一滴水，是一个旋动的笑颜还是一缕苍老的白发，是一本举足轻重的证书还是片言只语的旧笺……引发感动的导火索，也许举不胜举，可以有形，也可以是无所不在的氛围和若隐若现的天籁。感动可以骑着任何颜色的羽毛，在清晨或是深夜，不打招呼就进入了心灵的客厅，在那里和我们的灵魂倾谈。

珍惜我们的感动，就是珍惜了生命的零件。在感动中我们耳濡目染，不由自主地逼近那些曾经感动过我们的灵魂。也许有一天，我们也在无意间成了感动的小小源头，淙淙地流向了另一个渴望感动的双眸。

柔 和

"柔和"这个词,细想起来挺有意思的。先说"和"字,由禾苗和口两部分组成,那含义大概就是有了生长着的禾苗,嘴里的食物就有了保障,人就该气定神闲、和和气气了。

这个规律,在农耕社会或许是颠扑不破的。那时只要人的温饱得到解决,其他的都好说。随着社会和科技的发达进步,人的较低层次需要得到满足之后,单是手中有粮,就无法抚平激荡的灵魂了。中国有句俗话,叫作"吃饱了撑的——没事找事"。可见胃充盈了之后,就有新的问题滋生,起码无法达至完全的心平气和。

再说"柔"这个字。通常想起它的时候,好像稀泥一摊,没什么筋骨的模样。但细琢磨,上半部是"矛",下半部是"木"——一支木头削成的矛,看来还是蛮有力度和进攻性的。柔是褒义,比如"柔韧"、"以柔克刚"、"刚柔相济"、"百炼钢化作绕指柔"……都说明它和阳刚有着同样重要的美学和实践价值。

记得早年当医学生的时候,一天课上先生问道,大家想想,用酒精消毒的时候,什么浓度为好?学生齐声回答,当然是越高越好啦!先生说,错了。太高浓度的酒精,会使细菌的外壁在极短的时间内凝固,形成一道屏障,后续的酒精就再也杀不进去了,细菌在壁垒后

面依然活着。最有效的浓度，是把酒精的浓度调得柔和些，润物无声地渗透进去，效果才佳。

于是我第一次明白了，柔和有时比风暴更有力量。

柔和是一种品质与风格。它不是丧失原则，而是一种更高境界的坚守，一种不曾剑拔弩张，依旧扼守尊严的艺术。柔和是内在的原则和外在弹性充满和谐的统一，柔和是虚怀若谷的谦逊和冷暖相宜的交流。

现代人在风驰电掣的忙碌中，是多么期望自己与他人的柔和啊。不信，你看看报上的征婚广告，尽是征求性格柔和的伴侣，人们希望目光是柔和的，语调是柔和的，面庞的线条是柔和的，身体的张力是柔和的……

当我们轻轻念出"柔和"这个词的时候，你会觉得有一缕淡蓝色的温润，弥漫在唇舌之间。

有人追索柔和，以为那是速度和技巧的掌握。书刊上有不少教授柔和的小诀窍，比如怎样让嗓音柔和，手势柔和……我见过一个女孩子，为了使性情显出柔和，在手心用油笔写了大大的"慢"字，天天描一遍，掌总是蓝的，以致扬手时常吓人一跳，以为她练了邪门武功。这女孩并为自己规定，每说一句话之前，在心中默数从一到十……她除了让人感到木讷和喜怒无常外，与柔和不搭界。

一个人的心如若不柔和，所有对外在柔和形式的模仿和操练，都是沙上楼阁。

看看天空和海洋吧。当它们最美丽和博大、最安宁和清洁的时候，它们是柔和的。

只有成长了自己的心，才会在不经意间，收获了柔和。

在生命的所有季节播种

我们的声音柔和了，就更容易渗透到辽远的空间。我们的目光柔和了，就更轻灵地卷起心扉的窗纱。我们的面庞柔和了，就更流畅地传达温暖的诚意。我们的身体柔和了，就更准确地表明与人平等的信念。

柔和，是力量的内敛和高度自信的宁馨儿。愿你一定在某一个清晨，感觉出柔和像云雾一般悄然袭身。

珍惜愤怒

小时候看电影，虎门销烟的英雄林则徐在官邸里贴一条幅"制怒"。由此知道怒是一种凶恶而丑陋的东西，需要时时去制服它。

长大后当了医生，更视怒为健康的大敌。师传我，我授人：怒而伤肝，怒较之烟酒对人为害更烈。人怒时，可使心跳加快，血压升高，瞳孔散大，寒毛竖紧……一如人们猝然间遇到老虎时的反应。

怒与长寿，好像是一架跷跷板的两端，非此即彼。

人们渴望强健，人们于是憎恶愤怒。

我愿以我生命的一部分为代价，换取永远珍惜愤怒的权利。

愤怒是人的正常情感之一，没有愤怒的人生，是一种残缺。当你的尊严被践踏，当你的信仰被玷污，当你的家园被侵占，当你的亲人被残害，你难道不滋生出火焰一样的愤怒吗？当你面对丑恶，面对污秽，面对人类品质中最阴暗的角落，面对黑夜里横行的鬼魅，你难道能压抑住喷薄而出的愤怒吗？！

愤怒是我们生活中的盐。当高度的物质文明像软绵绵的糖一样簇拥着我们的时候，现代人的意志像被泡酸了的牙一般软弱。小悲小喜缠绕着我们，我们便有了太多的忧郁。城市人的意志脱了"钙"，越来越少见倒拔垂杨柳强硬似铁怒目金刚式的愤怒，越来越少

见幽深似海水波不兴却孕育极大张力的愤怒。

没有愤怒的生活是一种悲哀。犹如跳跃的麋鹿丧失了迅速奔跑的能力，犹如敏捷的灵猫被剪掉胡须。当人对一切都无动于衷，当人首先戒掉了愤怒，随后再戒掉属于正常人的所有情感之后，人就在活着的时候走向了永恒——那就是死亡。

我常常冷静地观察他人的愤怒，我常常无情地剖析自己的愤怒，愤怒给我最深切的感受是真实，它赤裸而新鲜，仿佛那颗勃然跳动的心脏。

喜可以伪装，愁可以伪装，快乐可以加以粉饰，孤独忧郁能够掺进水分，唯有愤怒是十足成色的赤金。它是石与铁撞击一瞬痛苦的火花，是以人的生命力为代价锻造出的双刃利剑。

喜更像是一种获得，一种他人的馈赠。愁则是一枚独自咀嚼的青橄榄，苦涩之外别有滋味。唯有愤怒，那是不计后果不顾代价无所顾忌的坦荡的付出。在你极度愤怒的刹那，犹如裂空而出横无际涯的闪电，赤裸裸地显露了你最隐秘的内心。于是，你想认识一个人，你就去看他的愤怒吧！

愤怒出诗人，愤怒也出统帅，出伟人，出大师，愤怒驱动我们平平常常的人做出辉煌的业绩。只要不丧失理智，愤怒便充满活力。

怒是制不服的，犹如那些最优秀的野马，迄今没有任何骑手可以驾驭它们。愤怒是人生情感之河奔泻而下的壮丽瀑布，愤怒是人生命运之曲抑扬起伏的高亢音符。

珍惜愤怒，保持愤怒吧！愤怒可以使我们年轻。纵使在愤怒中猝然倒下，也是一种生命的壮美。

抑郁的源头

每个人都是这样密切地与他人相关,所以当彼此的关系断裂时,才显出空旷无助的凄楚。断裂的原因,可能是误解、背叛、欺瞒、争吵、鄙视……死亡当然是最彻底的断裂了。生命是一根链条,其中一环断了怎么办?唯一的方法是把链条再接起来。这是需要花工夫动脑子的事情。

看过一个熟练的布厂女工表演棉条的连接。棉条断了,每一根棉丝都断了,如同一根雪白的冰棒被截断。女工把需要吻合的两根棉条对接,展开,让每一根棉丝都找到连接的位置,然后轻轻地捻动,让它们在旋转中融为一体。接好了,抻拽一番,融合得天衣无缝。

这个过程形象地说明了建立新关系的步骤。找到新的位置,然后从容不迫地连接,新的关系就慢慢建立起来了。

世界上的事,简言之,都是关系使然。人的全部活动,就是三种无法逃避的关系。

第一重关系,是人和自然的关系。人类是自然之子。没有自然,就没有了人所依附的一切。大自然的伟力,在城市里的人,不大容易体会得到。你到空旷的山野和广袤的沙漠中,你置身于晴朗的夜空之下，你在雪山顶端和海洋中央之时，比较容易找到人类应该待着的位置。

第二重关系，是人和自我的关系。你离不开你自己。只要你活一天，你就和自己密不可分。就算是你的肉身寂灭了，你依然和自己的精神痕迹紧紧地贴附在一起，无法分离。

第三重关系，就是人和他人的关系。纵观世界上无数的悲欢离合、潮起潮落，无非就是在这重关系上的跌宕起伏。人是被称为"人群"的，人不是单独的个体，而是人以群分。

这三重关系，无论哪一重发生了断裂，都是噩耗。我们是相互连接的，没有哪一部分的震荡，其他部分可以幸免。所以，海明威说，不要问丧钟为谁而鸣，丧钟为你而鸣。

人永远不要割断自己同他人的联系，不要割断同祖国的联系，不要割断同祖先的联系，不要割断同亲人的联系，不要割断同工作的联系，不要割断同历史的联系，不要割断同文化的联系……正是这重重联系，像斜拉桥的绳索一样，托举着你成为你。

如果桥梁的绳索断了，谁都知道要在第一时间将它修复。但是，人的关联的绳索断了，一时半会儿好像看不出非常严重的后果。你还是你，可以按时上班，可以听音乐和下饭馆，可以聊天和静思。但是，且慢，时间长了，是一定要出岔子的。很多的抑郁症就是这样悄无声息地发生了。我曾经听过一位美国心理学家讲述治疗抑郁症的新疗法，他很决绝地说，世界上所有的抑郁症，都是在关系上出了问题。

真是这样的吗？

你可以不信，但可以好好想一想。

第 六 辑

你一定会邂逅黄连

我再一次深深体会到,

一个人如果不能心悦诚服地接受自己的外形,

包括身体的所有细节,

那会在心灵上造成多么锋利、

持久的伤害,如霜的凄凉甚至覆盖一生。

其实，你可以犯错

其实，有些时候，你可以犯错。

有些错误不能犯，犯了就是犯法，例如偷盗，奸淫，杀人，腐败，贪赃枉法，背弃祖国……犯了，就是败类，要被严惩，人怒天也怒。

有些错误你可以犯，比如疏忽、遗忘和判断谬误，比如偶尔的措手不及以及某种场合的失态。

看一则资料，说是由于《新闻联播》的特殊性和重要性，对主播的要求非常严格。在新闻联播中，主播的错误被分成了"ABCD"四个等级，如果发生了A级错误，相应的处罚被称为"就地死亡"，当天播完了新闻，第二天就得下岗。有人把"海峡西岸"念成了"海峡两岸"，整个节目组开了整整一天的会……

特别是每次结束之前的最后十五秒，十分关键。为了保证按时结束，要用语速控制时间。拿到一条稿子，需要直接照着念。要准确地读完九行，每行九个字，才能可丁可卯地收尾，以保证后面广告的效益。

我不知道这些传说是否属实，如果是真的，一方面惊叹央视的制度刚烈，一方面也为播音员所承受的压力而叹息。从此，每到联播就要结束的当口，不由得心悸。

其实，也很想对今日的播音员们说，你可以出错。偶尔的差错可以谅解，你不必太在意。人不是机器，总有疲劳和分神的时候，纵是百倍千倍的集中精力，好马也有失蹄的瞬间。如果总是高度绷紧神经，无法一时安宁，长久下来，情何以堪！况且，就是机器，也有错乱的时候，比如街头的取款机。

说到好马，想起了九方皋。人们都知道伯乐是千里马的救星，其实九方皋的相马之术，按照伯乐的自白，那是远在他之上的。伯乐向秦穆公推荐了九方皋，九方皋领命而去，风尘仆仆地出差三个月，回来禀报秦穆公，说是在一个名叫沙丘的地方找到了千里马，为一匹黄色母马。秦穆公赶紧派手下人去找，不料牵回来的却是一匹黑色的公马。秦穆公大惊失色，对伯乐说，你举荐的这个人啊，连马的雌雄和毛色都分不清，哪里还能找到千里马？伯乐说，他果真到了这个地步了吗？那这个九方皋实在是超过我千万倍了，他已完全不在意马的外表，而获悉了寻找千里马最重要的天机……

九方皋找到的那匹黑公马，果真是一匹千里马。

偶尔一个字的口误，当下发觉了，纠正过来，对全局说起来，相当于一根马毛。况且今日的观众，水平或许能在秦穆公之上，并不会因此发生误解。

记得去年看到新闻，说某部电视剧的拍摄中，为了追求真实和烟火效果，在拍摄战争场面的时候，发生意外，导致剧组人员丧生。

前几天又看到某同志所写的文章，说是某剧中的一个碗，捧在旧时代的小姐手上，却被他看出了那是一个密胺塑料碗。

好玩，好笑。笑过之后，又想，真的需要以假乱真、惟妙惟肖吗?

　　看到影视片中的滚滚硝烟和喷薄的火焰，疑惑，何必如此大动干戈呢？焚烧会造成空气污染，还会加大排放碳，对周围的环境是一场灾难，还有那鏖战中裸露出来的肠管和削去半截的头颅，不忍卒看，随之走神。凡血浆迸裂，就想到引爆的不过是一个充斥红颜料的水袋；滚动的脑壳，就琢磨它是树脂还是泡沫雕成的呢……电视剧不是假的吗？不是编出来的吗？既然这个大前提谁都心知肚明，又何必去追求每一缕毛发的真实，以致损失大量的钱物甚至付出血的代价？！

　　一句话的失误，一个道具的穿帮，估计不会比一匹马的性别和毛色更重要。只要它真的是千里马，重要的是它奔跑的英姿和速度。

　　你可以犯错，我也可以犯错。对于这类毛发般的错误，原谅了吧。

少年肖像

请从老板椅上站起来

我是一名注册心理咨询师。

某次会议期间,聚餐时,一位老板得知我的职业之后,沉默地看了我一眼。依着职业敏感,我感觉到这一眼后面颇有些深意。饭后,大家沿着曲径散步。在一处可以避开他人视线的拐弯处,他走近我,字斟句酌地说,不知您……是否可以……为我做心理咨询?……我最近压力很大,内心充满了焦灼。有好几次,我想从我工作的写字楼的办公室跳下去……我甚至察看了楼下的地面设施,不是怕地面不够坚硬,我死不了……二十二层啊,我是物理系毕业的,我知道地心引力的不可抗拒……我怕的是地面上行人过往太多,我坠落的时候会砸伤他人。也许,深夜时分比较合适?那时行人较少……

他的语速由慢到快,好像一列就要脱轨的火车,脸上布满浓重的迷茫和忧郁。他甚至没有注意到我的神色,包括是否准备答应他的请求。毕竟,这里不是我的诊所,他也不曾预约。

虽是萍水相逢,从这个短暂的开场白里,我也可深刻地感知他正被一场巨大的心理风暴所袭击。

我迟疑了片刻。此处没有合适的工作环境,且我也不是在生活的每时每刻都以职业角色出现。但他的话让我深深忧虑和不安,我可以从中确切地嗅到独属于死亡的黑色气息。

是的，我们常常听到人们说到"死"这个词——"累死了"、"热死了"、"烦死了"，甚至——"高兴死了"、"快活死了"、"美死了"……死是一个日常生活中的高频词，它通常扮演一个夸张的形容角色，以致很多人在玩笑中轻淡了它本质的冷峻含义。

所以，作为一名心理咨询师，精确地判明人们在提到"死亡"这一字眼的时候心理相应的振动幅度，是一种基本能力。

如果他是一个年轻人，少年不识愁滋味，整天把死挂在嘴边，我会淡然处之。如果她是一名情场失意的女性，伴着号啕痛哭随口而出，我也可以在深表理解的同时镇定自若。但他是一名中年男性，有着优雅的仪表和整洁的服饰，从他的谈吐中可以看出他是一个自我指向强烈的人。他不会轻易地暴露自己的内心，一旦他开口了，向一个陌生人呼救，就从一个侧面明确地表明他濒临危机的边缘。

特别是他在谈话中提到了他的办公室高度的具体数字——二十二层。提到了他的物理学背景，说明他详尽地考虑了实施死亡的地点和成功的可能性，还有预定的时间——深夜行人稀少时……可以说，他的死亡计划已经基本成形，所缺的只是最后的决断和那致命的凌空一跃。

我知道，很有几位叱咤风云、外表踌躇满怀的企业家，在人们毫无思想准备的情形下，断然结束了自己的生命。关于他们的死因，众说纷纭，有些也许成了永远的秘密。但我可以肯定，他们死前一定遭遇到巨大、深刻的心理矛盾，无以化解，这才陷入全面溃乱之中，了断事业，抛弃家人，自戕了无比珍爱的生命。

心理咨询师通常是举重若轻的，但也有看急诊的时候，我以为眼前就是这样的关头。当事件危及一个人最宝贵的生命时,我们没有权利见死不救。

我对他说,好,我特别为你进行一次心理咨询。

他的眼里闪出稀薄的亮光,但是瞬忽之间就熄灭了。

我知道他不一定相信我。心理咨询在中国是新兴的学科,许多人不知道心理咨询师是如何工作的。他们或是觉得神秘,或是本能地排斥。在我们的文化里,如果一个人承认他的心理需要帮助,那就是说他精神错乱和精神分裂,是要招人耻笑和非议的。长久以来,人们淡漠自己的精神,不呵护它,不关爱它。假如一个人伤风感冒,发烧拉肚子,他本人和他的家人朋友,或许会很敏感地察觉,有人关切地劝他到医院早些看医生,会督促他按时吃药,会安排他休息和静养。但是,人们在精心保养自己的外部设施的同时,却往往忽略了心灵——这个我们所有高级活动的首脑机构。从这个意义上说,这位老总是勇敢和明智的。

他说,什么时间开始呢?

我说,待我找一个合适的地点。

他说,心理咨询对谈话地点有什么特殊的要求吗?

我说,有,但我们可以因陋就简。最基本的条件是,有一间隔音的不要很大的房间,温暖而洁净,有两把椅子,即可。

他说,我和这家饭店的老板有交往,房间的事,我来准备吧。等我安排好了,和您联系。

我答应了。后来我发现这是一个小小的疏漏。以后,凡有此类安排,我都不再假手他人,而是事必躬亲。

看来他很着急,不长时间之后就找到我,说已然做好准备。我

随同他走到一栋办公楼,在某间房门口停下脚步。他掏出钥匙,打开房间,走了进去。我跟在他身后进屋。

　　房间不大,静谧雅致,有一张如航空母舰般巨大的写字台、一把黑色的真皮老板椅,给人威风凛凛的感觉。幸而靠墙处有一对矮矮的皮沙发,宽软蓬松,柔化了屋内的严谨气氛。怎么样?还好吧?老总的语句虽说是问话,但结尾上扬的语调说明他已认定自己的准备工作应属优良等级。不待我回答,他就走到老板椅跟前,一屁股坐了下去。在落座的同时,他用手点了一下沙发,说,您也请坐,沙发舒服些,我坐这种椅子坐惯了。

　　我站在地中央,未按他的指示行动。

　　我重新环视了一下四周,对他说,房间的隔音效果看来还不错,可惜稍微大了一些。

　　他有些失望地说,这已是宾馆最小的房间了,再小就是清洁工放杂物的地方了。

　　我点点头说,看来只有在这里了,希望你不要在意。

　　他吃惊地说,我为什么会在意?只要您不在意就成了。

　　我说,关键是你啊。小的隔音的房间,给人的安全感要胜过大的房间。对于一个准备倾诉自己最痛苦最焦虑的思绪的人来说,环境的安全和对咨询师的信任,是重要的前提啊。

　　他若有所思地沉默着。半晌,猛然悟到我还站着,他连连说,我信任您,如果我不信任您,就不会主动找您了,是不是?您为什么还不坐下?

　　我笑笑说,不但我不能坐下,而且,先生,请您也从老板椅上站起来。

为什么？他的莫名其妙当中，几乎有些恼怒了。我相信，在他成功的老板生涯中，恐怕还没有人这样要求过他。

他稍微愣怔了片刻。看得出，他是一个智商很高、反应机敏的人，似乎意识到了什么，说道，您的意思，是不是我坐在这把椅子上，您坐在沙发上，咱们之间的距离太远，不利于您的工作？若是这个原因，我可以坐到沙发上去。

我依旧笑着说，这是其中的一个原因，但不是最主要的原因。我要说的是——沙发也不可以坐，不但你不能坐，我也不能坐。

这一回，他陷入真正的困惑之中，喃喃地说，这儿也不让坐，那儿也不让坐，咱们坐在哪里呢？

是啊，这个房间里，除了老板椅和沙发，再没有可坐的地方了，除非把窗台上的花盆倒扣过来。

我说，很抱歉，这不是你的过错。我作为治疗师，应该早到这间房子来，做点准备。现在，由我来操办吧。

我把老总留在房间，找到楼下的服务人员，对他们说，我需要两把普通的木椅子。

他们很愿意配合我，但是为难地说，我们这里给客人预备的都是沙发软椅，只有工作人员自己用的才是旧木椅。

我看看他身后油漆剥落的椅子说，是这种吗？

他们说，是。

我说，这就很适用。先帮我找两把这种椅子，搬到那个房间。然后，还要麻烦你们，把那个房间里的老板台和老板椅搬出去。

工作人员很快按照我的要求行动起来。在大家出出进进忙碌的过程中，老总一直双手交叉抱在胸前。我明白这一体态语言的含义是——"我弄不懂您的意思,我不喜欢这样折腾,有这个必要吗?"

我暂不理他。待一切收拾妥当,我伸手邀请他说,您请坐吧。

现在,屋内只有两把木椅,呈四十五度角摆放着,简洁而单纯。

我坐在哪里?他挑战似的询问。

哪把椅子都可以。因为,这两把椅子是一模一样的。我回答。

他坐下,我也坐下。

……

当心理咨询过程结束的时候,他脸上浮现出了微笑。他说,谢谢您,我感觉比以前多了一点力量。

我说,好啊,祝贺你。力量也似泉水,会慢慢积聚起来,直至成为永不干涸的深潭。

分手的时候,他说,如果不是你们的职业秘密的话,我想知道您为什么让我从老板椅上站起来。难道那两把普通的木椅有什么特殊的魔力吗?

我说,这不是职业秘密,当然可以奉告。如果我估计得不错的话,在你的办公室里,一定有类似的老板椅。一坐在上面,你就进入了习惯的角色之中。我坐在沙发上,正视线上比你矮。我想,通常到你的办公室请示的下级或是商议事情的其他人员,也是坐在这个位置的。这种习惯性的坐姿,是一个模式,也透露着你是主人的强烈信息。心理咨询师和来访者的关系,不同于你以前所享有的任何关系。我们不是上下级,也不是有买卖和利害关系的伙伴,甚至不是朋友,朋友是一个鱼龙混杂的体系。我们之间所建立的相互平等的关系,是崭新而真诚的,它本身就具有强大的疗效。我会为你所有的谈话严守秘密,上不告父母,下不告妻儿。当然,对于一位女咨询师来说，就是不告夫儿了，这是一个专业咨询师最基本的职业道德，其中的每一个细节都要服从这一大局。

他点点头，表示相信我的承诺。若有所思片刻后，他又说，沙发也是很平等的啊！一般高，不偏不倚嘛！我曾提议咱们都坐沙发，可您拒绝了，沙发要比椅子舒服得多。说实话，我很多年没有坐过这般粗糙的木椅了。说完，他捶了捶腰背。

我说，你说得很对。沙发的确太舒服了，而我们不能在太舒服的环境下谈话，那样无法维持我们神经系统的警醒和思维的深度。沙发更适宜养神，从思考的角度说，木椅比沙发更有力度。

他再次点点头，说，这的确是一个新的领域，连规矩也很特别。当我下次再进入心理咨询室的时候，就会比较有经验了。

我说，下星期，我们再见。

最重的咨询者

我猜你第一眼看到这个题目,一定以为是"最重要的咨询者"。很抱歉,不是最重要,是最重。你可能要大吃一惊,说你们的心理咨询室里还设磅秤吗?每个来咨询的客人,都要量体重吗?

并没有人体秤,我也从来没有问过来访者的体重。只是这位来访者实在太胖了,不用任何器械,我也能断定他在我所接待过的来访者中体重第一。

他穿了一条肥大的牛仔裤,一看就是那种出口转内销的外贸尾单货,专供欧美等国特大号胖子装备的。上身是一件黄绿相间的花衬衣,有点苏格兰格子的味道,想来是从国外淘买回来的,亚洲人难得有这样庞大的规格。他名叫武威,正在上大学三年级。

我好着呢!什么毛病也没有!武威开门见山地说。他小山似的身体将咨询室的沙发挤得满满当当,腰腹部的赘肉从沙发的扶手镂空处挤出来,好像是脂肪的河流发山洪溢出了河道。我暗自庆幸当年置办办公家具的时候,选择了不锈钢腿的沙发。若是全木质精雕细刻的,在这样的负荷之下,难免断裂。

我说,既然您觉得自己一切正常,为什么到我们这里来呢?

我问这话,不单单是一个询问策略,实实在在也是自己心中的困惑。当然了,武威的体形令人瞠目结舌,但如果当事人不觉得这是一个问题,心理咨询师也犯不上自告奋勇、迫不及待地为他人排忧解难。

武威一笑,笑容有一种孩子般的天真。他说,我说我觉得自己正常,但这并不代表着我的家人也觉得我正常。

我说,这么说,是家里人让你来看心理医生的?

武威说,可不是吗!他们说我太胖了,马上就要面临大学毕业找工作,像我这样的体形,会受到歧视,更甭说以后找对象结婚的事了。总之,他们让我减肥,我吃过各式各样的减肥药,喝过名目繁多的减肥茶,还尝试过针灸、推拿、揉肚子……

我问,什么叫揉肚子?

武威说,一种新近流行起来的减肥方法,就是好几个人在你的肚子上像和面一样揉啊揉的,据说能把腹部的脂肪颗粒粉碎,这样就可以排出体外了。还有一种吸油纸,就像胶布一样贴在你想减肥的部位,大概过上一小时,就会看到那片纸变透明了,全都是油滴。

我大吃一惊,以我当过二十年医生的经验,绝对不相信人体内的脂肪会被一张纸榨出来。

这是真的吗?我问。

武威说,有一次,我把吸油纸贴在冰箱外壳上。一小时之后,吸油纸也是油光闪闪的。

我愤然,怎么能这样骗人!

武威说,现在社会上流行以瘦为美,商家就利用人们的这种心理大发减肥财呗。

我发现武威虽然看起来动作迟缓,但思维清晰敏捷。

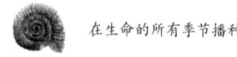

我说，想必你尝试过种种减肥方法，都没效果。

武威说，您说对了一半，就我尝试过的方法，公平地说，除了吸油纸是彻头彻尾的骗术以外，其他的多少都有一些效果。它们之中要么是用了泻药，要么使用了西药抑制人的食欲，每次我都能成功地减肥几十公斤。

我又一次坠入雾海。若是每一次都减肥成功，那么武威目前就不会是如此的庞然大物了。或者说，他以前简直重如泰山？

看到我百思不得其解的模样，武威说，是的，每一次都成功，可是，您知道反弹吗？

我说，知道，就是体重又恢复到原来的分量了。

武威说，岂止是原来的分量，是更上一层楼了。我就这样，一次又一次地减肥，然后一次又一次地比原来更肥。

我觉得武威说完这句话应该愁眉苦脸，起码也会叹一口气吧。可是，武威依然是安之若素的模样，甚至嘴角还浮现出隐隐的笑意。

我有点怀疑自己的眼睛，但是，没错，武威脸上并没有任何沮丧的神气。看来，他说自己没有问题，也不是毫无根据的。但是，面对着这种明显不正常的体重，还要说一切正常，这是不是正是要害所在呢？

我对武威说，我看，你对自己的体重并不觉得有什么不合适的地方。

武威好像遇到了知音，说，哎呀，您可真说到我的心里了。我并不觉得这不正常。

把一个明显不对头的事说成正常，这也是问题啊。我说，武威，你可以有一个选择。你要是觉得自己没有一点问题，你就可以走了。

在生命的所有季节播种

你要是希望自己变得更好，咱们就来探讨一下有关的问题。毕竟，你的体重超标了，这是一个事实。

武威迟疑了一下。看来，他是一个好脾气的胖子，所以，他并不想忤逆父母的意愿，就乖乖地来见心理医生了。不过，他打算走个过场，然后就照样我行我素。现在，面临选择，他费了思量。过了一会儿，他说，您说这话我愿意听——谁不愿意把自己变得更好呢？我愿意和您讨论一下我的体重问题。

很好，显著的进步，武威终于承认自己的体重是一个问题了。

我说，你从小就比较胖吗？

武威连连摇头说，我小的时候一点都不胖。从十二岁零三个月的时候开始发胖。以后就越发不可控制，差不多每年长二十斤。要说一个月长一斤多肉，也不是什么了不起的事，但日积月累，就成了现在的样子。

这段话初听起来，好像很普

通。但我注意到了一个奇怪的数字——十二岁零三个月。按说体重增加并不是突然发生的,但武威为什么把日子记得那样清楚呢?

我说,武威,当你十二岁零三个月的时候,发生了什么?

武威低下头说,我不能告诉你。

我说,为什么?

武威说,因为一想起那段日子,我就太悲伤了。

我说,武威,将近十年过去了,你还这样痛苦。我猜想,这也许和你的一位挚爱的人离去有关。

武威抬起头来,我看到他的眼珠被泪水包裹。他说,您说对了。我从小就是和外婆在一起,她是个非常慈祥的老太太。我从她那里得到了温暖和做人的道理。我觉得她这样好的人是永远不会死的。可是,她得了癌症。很多人得了癌症,也都可以治疗,比如化疗什么的,就算不能挽回生命,坚持个三年五载的也大有人在。可我外婆什么治疗都不能做,从发现患病到去世,只有短短的二十天。我痛不欲生,拼命吃饭,从那以后,就踏上了变胖的不归路……

我的脑海开始快速运转。按说痛不欲生的结果,是令人食欲大减,饭不思茶不饮的,似这般暴饮暴食,胡吃海塞,搞得体重骤升的,实在罕见。

我说,原谅我问得可能比较细,你吃下那么多东西的时候想的是什么?

武威说,我想这就是纪念我外婆的一种方式。

我又一次糊涂了。祭奠亲人的方式,可能有千千万万种,但用超常的食欲来思念外婆,这里面有着怎样的逻辑?

我说,你外婆一直鼓励你多吃饭吗?

武威说,没有,外婆是非常清秀的江南女子,直到那么老的年纪都非常美丽,每餐只吃一点点饭。

我说,那么,你为什么要用吃饭悼念外婆呢?

武威陷入了痛苦的回忆。许久,他喃喃地说,也许……是因为……我听到了一句话。

我说,那是一句怎样的话?

武威用手支撑着巨大的头颅,说,那一天,我到医院去看望外婆。正是中午,大家都休息了。当我路过医生值班室的时候,听到两位值班医生在说话。男医生说,十三床的治疗方案最后确定了没有?女医生说,没有什么治疗方案了,就是保守对症,减轻病人一点痛苦。男医生问,干吗不手术呢?女医生答,年纪太大了,如果手术,很可能就下不了台子,比不做还糟糕。男医生又开言,那么化疗呢?资料上说,现在新的药物对这种癌症效果不错的。女医生接着回答,十三床太瘦弱了,化疗方案一上去,人肯定就不行了,还不如这样熬着,活一天算一天……

十三床,就是我的外婆啊。

医生们的这段对话,给我留下了非常深刻的印象。我觉得外婆的死就是因为她太瘦了,瘦到无法接受治疗,如果她胖一点,就能够战胜死神,就能一直陪伴在我身边……

武威断断续续地讲着,他的眼泪一滴滴洒落在黄绿相间的格子衬衣上,让黄的地方更黄,绿的地方更绿。胖人的眼泪也比一般人的要硕大很多,每一滴都像一颗透明的弹球。

我默默地坐着,能够想象至亲的人离去给当年的小男孩以怎样摧毁般的打击。他以自己的方式表示着痛人心肺的哀伤,表示着对死神的强大愤怒，表示着对外婆的无比眷念……难怪他不认为这是不正常的，难怪他在每一次减肥之后都让自己的体重更加高。

在接下来的多次咨询中，我和武威慢慢地讨论着这些。当然，我不能把自己的判断一股脑儿地告知他，而是在我们的共同探讨中渐渐向前。

武威后来成功地减下了五十公斤体重，成了英俊潇洒的靓仔，对外婆的悼念也化成了力量，他各方面都很优秀。

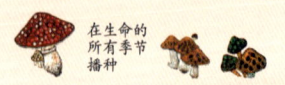

我眉飞扬

眉毛对人并不是非常重要的。我之所以这么说,是因为人如果没有了眉毛,最大的变化只是可笑。脸上的其他器官,倘若没有了,后果都比这个损失严重得多。比如没有了眼睛,我说的不是瞎了,是干脆被取消了,那人脸的上半部变得没有缝隙,那就不是可笑能囊括的事,而是很可怕的灾难了。要是一个人没有鼻子,几乎近于不可思议,脸上没有了制高点,变得像面饼一样平整,多无聊呆板啊!要是没了嘴,脸的下半部就没有运动和开合,死板僵硬,人的众多表情也就没有了实施的场地,对于人类的损失,肯定是灾难性的。流传的相声里,有理发师捉弄顾客,问:"你要不要眉毛啊?"顾客如果说要,他就把眉毛剃下来,交到顾客手里;如果顾客说不要呢,他也把顾客的眉毛剃下来,交到顾客手里。反正这双可怜的眉毛在存心不良的理发师傅手下,是难逃被剃光的下场了。但是,理发师傅再捣蛋,也只敢在眉毛上做文章,他就不能问顾客"你要不要鼻子啊"?按照他的句式,再机灵的顾客也是难逃鼻子被割下的厄运。但是,他不问。不是因为这个圈套不完美,而是因为即使顾客被套住了,他也无法操作。同理,脸上的眼睛和嘴巴都不能这样处置。可见,只有眉毛是面子上无足轻重的设备了。

但是，也不。比如我们形容一个人快乐，总要说他眉飞色舞，说一个男子英武，总要说他剑眉高挑，说一个女子俊俏，总要说她蛾眉入鬓，说到待遇的不平等，总也忘不了"眉高眼低"这个词，还有"柳眉倒竖"、"眉开眼笑"、"眉目传情"、"眉头一皱计上心来"……哈，你看，几乎在人的喜怒哀乐里，都少不了眉毛的份儿。可见，这个平日只是替眼睛抵挡汗水和风沙的眉毛，在人的情感词典里还真是占有不可忽视的位置呢。

我认识一位女子，相貌、身材、肤色连牙齿，哪里长得都美丽。但她对我说，对自己的长相很自卑。我不由得又上上下下左左右右地将她打量了个遍，就差没变成一台超声波仪器，将她的内脏也扫描一番。然后很失望地对她说，对不起啦，我实在找不到你有哪处不够标准，还请明示于我。她一脸沮丧地对我说，这么明显的毛病你都看不出，你在说假话。你一定是怕我难受，故意装傻，不肯点破。好吧，我就告诉你，你看我的眉毛！

我这才凝神注意她的眉毛。很粗、很黑、很长，好似两支炭箭，从鼻根耸向发际……

我说，我知道那是你画了眉，所以也没放在心里。

女子说，你知道，我从小眉毛颜色很淡，而且是半截儿的。民间有说法，说是有半截儿眉毛的女孩会嫁得很远，而且一生不幸。我很为眉毛自卑。我用了很多方法，比如有人说天山上有一种药草，用它的汁液来画眉毛，眉毛就会长得像鸽子的羽毛一样光彩颀长，我试了又试，多年用下来，结果是眉毛没见得黑长，手指倒被那种药草染得变了颜色……因为我的眉毛，我变得自卑而胆怯，所有需要面试的工作，我都过不了关，我觉得所有考官都在直眉瞪眼地盯着我的

眉毛……你看你看,"直眉瞪眼"这个词,本身就在强调眉毛啊……心里一慌,给人的印象就手足无措,回答问题也是语无伦次的,哪怕我的笔试成绩再好,也惨遭淘汰。失败的次数多了,我更没信心了。以后,我索性专找那些不必见人的工作,猫在家里,一个人做,这样,就再也不会有人见到我的短短的暗淡的眉毛了,我觉得安全了一些。虽然工作的薪水少,但眉毛让我低人一等,也就顾不了那么多了。

我吃惊道,两条短眉毛就这样影响了你一生吗?

她很决绝地说,是的,我只有拼力弥补。好在商家不断制造出优等的眉笔,我画眉的技术天下一流。每天,我都把自己真实的眉毛隐藏起来,人们看到的都是我精心画出的眉毛。不会有人看到我眉毛的本相。只有睡觉的时候,才让眉毛暂时地恢复原形。对于这个空当,我也做了准备。我设想好了,如果有一天我睡到半夜,突然被火警惊起,我一不会抢救我的财产,二不会慌不择路地跳楼,我要做的最重要的一件事,就是掏出眉笔,把我的眉毛妥妥帖帖地画好,再披上一条湿毛毯匆匆逃命……

我惊讶得说不出话来,然后是深切的痛。我再一次深深体会到,一个人如果不能心悦诚服地接受自己的外形,包括身体的所有细节,那就会在心灵上造成多么锋利、持久的伤害,如霜的凄凉,甚至覆盖一生。

至于这位走火也画眉的女子,由于她内心的倾斜,在平常的日子里,她的眉笔选择得过于黑了,她用的指力也过重了,眉毛画得太粗太浓,显出强调的夸张和滑稽的戏剧化效果……她本想弥补天然的缺陷,但在过分补偿的心理作用下,即使用了最好的眉笔,用了漫长的时间精心布置，也未能达到她所预期的魅力，更不要谈她所渴望的信心了。

眉毛很重要。眉毛是我们脸上位置最高的饰物（假如不算沧桑之刃在我们的额头上镌刻的皱纹）。一对好的眉毛，也许在医学美容专家的研究中，会有着怎样的弧度、怎样的密度、怎样的长度、怎样的色泽……但我想，眉毛最重要的功能，除了遮汗挡沙之外，是表达我们真实的心境。当我们自豪的时候，它如鹰隼般飞扬；当我们思索的时候，它有力地凝聚；当我们哀伤的时候，它如半旗低垂；当我们愤怒的时候，它——扬眉剑出鞘……

假如有火警响起，我希望那个女子能够在生死关头记住生命大于器官，携带自己天然的眉毛从容求生。

我眉飞扬，不论在风中还是雨中、水中还是火中。

女人何时才能外柔内刚

在咨询室米黄色的沙发上,安坐着一位美丽的女性。她上身穿着宝蓝绸衣,衣襟上一枚鹅黄水晶的水仙花状胸针熠熠发亮。下着一条乳白色的宽松长裤,有一种古典的恬静,花香一般弥散出来。服饰反射着心灵的波光,常常从来访者的衣着中就窥到她内心的律动。但对这位女性,我着实有些摸不着头脑。她似乎是很能控制自己的情绪,安宁而胸有成竹,但眼神中有些很激烈的精神碎屑在闪烁。她为何而来?

您一定想不出我有什么问题。她轻轻地开了口。

我点点头。是的,我猜不出。心理医生是人不是神。我耐心地等待着她。我相信她来到我这儿,不是为了给我出个谜语来玩。

她看我不搭话,就接着说下去。我心理挺正常的,说真的,我周围的人有了思想问题都找我呢!大伙儿都说我是半个心理医生。我看过很多心理学的书,对自己也有了解。

她说到这儿,很注意地看着我。我点点头,表示相信她所说的一切。是的,我知道有很多这样的年轻人,他们渴望了解自己也愿意帮助别人。但心理医生要经过严格的系统的训练,并非只是看书就可以达到水准的。

我知道我基本上算是一个正常人，在某些人的眼中，我简直就是成功者。有一份薪水很高的工作，有一个爱我、我也爱他的老公，还有房子和车。基本上也算是快活，可是，我不满足。我有一个问题——就是怎样才能做到外柔内刚？

我说，我看出你很苦恼，期望着改变。能把你的情况说得更详尽一些吗？有时，具体就是深入，细节就是症结。

宝蓝绸衣女子说，我读过很多时尚杂志，知道怎样颔首微笑怎样举手投足。您看我这举止打扮，是不是很淑女？我说，是啊。

宝蓝绸衣女子说，可是这只是我的假象。在我的内心，涌动着激烈的怒火。我看到办公室内的尔虞我诈，先是极力地隐忍。我想，我要用自己的善良和大度感染大家，用自己的微笑消弭裂痕。刚开始我收到了一定的成效，大家都说我是办公室的一缕春风。可惜时间长了，春风先是变成了秋风，后来干脆成了西北风。我再也保持不了淑女的风范，开业务会，我会因为不同意见而勃然大怒，对我看不惯的人和事猛烈攻击，有的时候还会把矛头直接指向我的顶头上司，甚至直接顶撞老板。出外办事也是一样，人家都以为我是一个弱女子，但没想到我一出口，就像子弹上了膛的机关枪，横扫一气。如果我始终是这样也就罢了，干脆永远的怒目金刚也不失为一种风格。但是，每次发过脾气之后，我都会飞快地进入后悔的阶段，我仿佛被鬼魂附体，在那个特定的时辰就不是我了，而是另一个披着我的淑女之皮的人。我不喜欢她，可她又确确实实是我的一部分。

看得出这番叙述让她堕入了苦恼的渊薮，眼圈都红了。我递给她一张面巾纸，她把柔柔的纸平铺在脸上，并不像常人那般上下一通揩擦，而是很细致地在眼圈和面颊上按了按，怕毁了自己精致的妆容。待她恢复平静后，我说，那么你理想中的外柔内刚是怎样的呢？

宝蓝绸衣女子一下子活泼起来，说我给您讲个故事吧。那时我在国外，看到一家饭店冤枉了一位印度女子，明明道理在她这边，可饭店就是诬她偷拿了某个贵重的台灯，要罚她的款。大庭广众之下，众目睽睽的，非常尴尬。要是我，哼，必得据理力争，大吵大闹，逼他们拿出证据，否则绝不甘休。那位女子身着艳丽的纱丽，长发披肩，不温不火，在整个两个小时的征伐中，脸上始终挂着温婉的笑容，但在原则问题上却是丝毫不让。面对咄咄逼人的饭店侍卫的围攻，她不急不恼，连语音的分贝都没有丝毫的提高，她不曾从自己的立场上退让一分，也没有一个小动作丧失了风范，头发丝的每一次拂动都合乎礼仪。

那种表面上水波不兴骨子里铮铮作响的风度，真是太有魅力啦！宝蓝绸衣女子的眼神充满了神往。

我说，我明白你的意思了，你很想具备这种收放自如的本领。该硬的时候坚如磐石，该软的时候绵若无骨。

她说，正是。我想了很多办法，真可谓煞费苦心，可我还是做不到。最多只能做到外表看起来好像很镇静，其实内心躁动不安。

我说，当你有了什么不满意的时候，是不是很爱压抑着自己？宝蓝绸衣女子说，那当然了。什么叫老练，什么叫城府，指的就是这些啊。人小的时候天天盼着长大，长大的标准是什么？这不就是长大嘛！人小的时候，高兴啊懊恼啊，都写在脸上，这就是幼稚，是缺乏社会经验。当我们一天天成长起来，就学会了察言观色，学会了"人前只说三分话，未可全抛一片心"。风行社会的礼仪礼貌，更是把人包裹起来。我就是按着这个框子修炼的，可到了后来，我天天压抑着自己的真实情感，变成了一个面具。

我说，你说的这种苦恼我也深深地体验过。在阐述自己观点的时候，在和别人争辩的时候，当被领导误解的时候，当自己一番好意却被当成驴肝肺的时候，往往就火冒三丈，也顾不得平日克制而出的彬彬有礼了，也记不得保持风范了，一下子义愤填膺，嗓门也大了，脸也红了。

听我这么一说，宝蓝绸衣女子笑起来说，原来世上也有同病相怜的人，我一下子心里好过了许多。只是后来您改变了吗？

我说，我尝试着改变。情绪是一点一滴积累起来的，我不再认为隐藏自己真实的感受，是一项值得夸赞的本领。当然了，成人不能像小孩子那样，把所有的喜怒哀乐都写在脸上，但我们的真实感受是我们到底是一个怎样的人的组成部分。如果我们爱自己，承认自己是有价值的，我们就有勇气接纳自己的真实情感，而不是笼统地把它们隐藏起来。一个小孩子是不懂得掩饰自己的内心的，所以有个褒义词叫作"赤子之心"。当人渐渐长大，在社会化的过程中，学会了把一部分情感埋在心中。在成长的同时，也不幸失去了和内心的接触。时间长了，有的人以为凡是表达情感就是软弱，要把情感隐蔽起来，这实在是人的一个悲剧。

我们的情感，很多时候是由我们的价值观和本能综合形成的，压抑情感就是压抑了我们心底的呼声。中国古代就知道，治水不能"堵"，只能疏导。对情绪也是一样，单纯的遮蔽只能让情绪在暗处像野火的灰烬一样，无声地蔓延，在一个意想不到的地方猛地蹿出凶猛的火苗。这个道理想通之后，我开始尊重自己的情绪，如果我发

相 遇

觉自己生气了，我不再单纯地否认自己的怒气，不再认为发怒是一件不体面的事情，也不再竭力用其他的事件分散自己的注意力。因为发自内心的愤怒在未被释放的情况下，是不会像露水一样无声无息地渗透到地下销声匿迹，它们潜伏在我们心灵的一角，悄悄地发酵，膨胀着自己的体积，积攒着自己的能量。如果我发觉自己生气了，就会很重视内心感受，我会问自己，我为什么而生气？找到原因之后，我会认真地对待自己的情绪，找到疏导和释放的最好方法，再不让它们有长大的机会。

举个小例子，有一段时间，我一听到东北人说话的声音心中就烦，经常和东北人发生摩擦，不单在单位里，就是在公共汽车上或是商场里，也会和东北籍的乘客或是售货员争吵。终于有一天，我决定清扫自己这种恶劣的情绪。我挖开自己记忆的坟墓，抖出往事的尸骸。那还是我在西藏当兵的时候，一个东北人莫名其妙地把我骂了一顿，反驳的话就堵在我的喉咙口，但一想到自己是个小女兵，他是老兵，我该尊重和服从，吵架是很幼稚而不体面的表现，就硬憋着一言不发。那愤怒累积着，在几十年中变成了不可理喻的仇恨，后来竟到了只要听到东北口音就过敏反感，非要吵闹才可平息心中的阻塞，造成了很多不必要的误会。

我把我的故事对宝蓝绸衣女子讲完了，她说，哦，我有了一些启发。外柔内刚的柔只是表象，只是技术，单纯地学习淑女风范，可以解决一时，却不能保证永远。这种皮毛的技巧，弄巧成拙也许会使积聚的情绪无法宣泄，引起某种场合的失控。外柔需要内刚做基础，而内刚不是从天上掉下来的，是靠自我的不断探索。

我说你讲得真好，咱们都要继续修炼，当我们内心平和而坚定的时候，再有了一定的表达技巧，就可以外柔内刚了。

坦言——心灵的力量

在报上看到两个年轻人的故事。他们非常聪明,是很好的朋友,都有硕士学位,并且在证券业有骄人的成就,其中一位还获得过全国证券交易排行榜第五名。

他们可谓少年得志,面前也有辉煌的前景。受一位朋友的引荐,他们双双接受一家公司的委托,成为国债交易的操盘手。应该说,他们工作很努力,三个月后,他们已经为公司净赚了两百万元。但是,公司一直未与他们签订聘用合同,也没有在提成方面有一个明确的分配。他们内心不平衡。甲就对乙说,咱们给公司赚了那么多钱,他们对我们也没有个交代,找个时间把国债做一下,给公司施加一点压力。

两个人策划之后,一个自以为得计的阴谋形成了。他们又找到了在武汉也是做操盘手的丙,让他准备一笔两千万的款子,伺机而动。

约定的日子到了。他们的手法说复杂很复杂,不在其中的人,是绝不能操纵成功的。说简单也简单,就是甲和乙不按常理,在开盘集体竞价的时候,把一只头一天还报一百一十三元卖出的国债,共计四万手,按八十块钱卖出,企图让武汉的丙把它们买下来,最后给公司造成了四百万元的损失。

现在，这两位曾经才华横溢、前程远大的青年，在铁窗内度日。他们的一生将因此笼罩在巨大的阴影中。在牢狱中，他们叹息自己不懂法律，付出了惨痛的代价。也许法学家或是金融学家能从这一案例当中分析出各种经验教训，在我看来，还有一个极为重要的方面不应被忽视。

这一起重大案件的起因，就是因为甲和乙的心理不平衡造成的。他们还不够有经验，在和公司合作伊始没有把劳务合同和奖惩条例签好，这是他们的一个失误。有了失误，可以挽回，他们本可以向公司方面坦陈自己的意见，来个亡羊补牢。可是，他们似乎根本就没有朝这个正确的方向努力，而是一步就迈向了法律所禁止的边缘，开始了犯罪的谋划。

我们常常听到这样的故事：一对年轻人，彼此都很有好感，可是谁都没有勇气表白自己的内心。于是无数的旁敲侧击、无数的委屈和误会、无数的试探和揣摩，窗户纸始终不能捅破。结果呢，清高占了上风，谁都等着对方说第一句话，最后不了了之。漫长岁月后，都已人到暮年，再次重逢袒露心迹，才知彼此的家庭都不幸福，后悔当年的迟疑。但现实是残酷的，逝去的青春不可能改写，只能存留永远的遗憾。

回想我们的经历，真是有太多时候我们没有勇气将自己的真实想法和盘托出，我们一厢情愿期待着事件按照我们的想象向前发展。可惜这样的机遇总是十分稀少，不如意者十之八九。一旦失望，要么退避躲让，要么走向极端，却忘了一条最直接最简单的捷径，那就是——坦言。

其实，如果那两个年轻的操盘手在走马上任三个月后，认为没有得到相应的待遇，心中愤愤，就可以直截了当地提出意见，争取自己的利益。如果公司方面答复不如意，他们也可以用更坚决更理智的方法争取合法权益。可惜啊，他们舍近求远，他们弃易取难，甚至不惜用犯罪这样极端的手段，来达到一个原本正当的目的。

世上有多少痛苦和支离破碎，是因为双方的故弄玄虚而致？世上有多少悲剧，是因为误解和朦胧而发生？世间有多少罪恶，是因为隔膜和延宕而萌生？世上有多少流血和战争，是因为彼此的关闭和封锁而爆发？

坦言的"坦"字，在字典里的含义是"平"。把自己想要表达的意见一马平川地说出来，不遮掩，不隐藏，不埋设地雷，不挖掘壕沟，不云山雾罩，也不神龙见首不见尾……清晰明白，心平气和，这是做人的基本功之一。

坦言常常被误认为是缺少城府、涉世不深，其实这是一个天大的误会。在素以严谨著称的外交谈判中，坦率也是一个使用频率极高的词汇。越是面对分歧和隔阂，越需要开诚布公的坦言。

有人以为坦言是一个技术性的问题，以为掌握了若干讲话的小诀窍就可游刃有余，其实坦言的基础是一个心理素养的问题。

首先，你要是一个襟怀坦荡、敢于负责的人。它不是阿谀奉承的话，也不是人云亦云的话。它是你自我思考的结晶，它将透露你的真实想法，所包含的信息和观点，是你人格的体现。如果你畏葸求全，唯马首是瞻，那么，你无法坦言。

坦言，说起来容易，真正做起来，那过程往往令人不安和焦灼。可能是一个集会或课堂的公开发言，也可能是和你的上司或师长的对谈，可能是面对心仪的异性的首次表白，也可能是因为我们的过失而道歉和忏悔……总之，坦言是一次精神和语言的冒险，其中蕴涵着情感的未知和不可预测的反应。

然而，尽管困难重重，我们还是需要坦言。坦言是一种勇敢，因为你面对世界发出了独属于你的声音。坦言是一种敢作敢当的尝试，因为你们既不是权势的传声筒，也不是旁人的回音壁。无论你的声音多么微弱和幼稚，那是出于你的喉咙，它昭示了你的独立和思索。

有人以为坦言是不安全的，藏藏掖掖才是老练。我要说，往往你以为最不保险的地方才是最安全的。社会节奏如此之快，你吞吞吐吐，别人怎能知晓你繁复的内心活动？如果说在缓慢的农耕社会，人们还可以容忍剥笋抽丝的离题万里，那么在现代，坦言简直就是人生的必修课。

有人以为坦言仅仅是嘴皮子上的功夫，其实不然。有人无法坦言，是因为他不知道自己究竟需要坚守怎样的观点。坦言建筑在对自己和对社会的深切了解之上。如果你反对，你就旗帜鲜明；如果你热爱，你就如火如荼；如果你坚持，你就矢志不渝；如果你选择，你就当机立断。

年轻人有一个容易犯的毛病，就是假装深沉。这个责任不在青年，而是我们民族的约定俗成中不恰当地推崇少年老成。年轻人的特点就是反应机敏、头脑灵活、快人快语。如果强作拖沓徐缓之状，那是对青春活力的不敬。说话不在缓急，而在其中是否蕴含真情、富有真知灼见。如果一位老年人言之无物，看他体弱健忘的份儿上，人们还能有几分谅解的话，年轻人的故作深沉，只能让人生出悲哀。

老年人对于新生事物，难免倦怠，但一个年轻人，违背天性，欲盖弥彰，那简直就是逃避和无能的同义词了。

坦言的核心是自信，是尊重自己，也尊重他人。你值得我信任，所以我对你说真话。你可以拒绝我的意见，但不要轻视我的热情。我相信我自己是有价值的，所以我能够直率地面向这个世界。

学会坦言，会对人的一生产生重大的影响。我看过很多应聘成功的例子，那骨子里很多是面对权威的坦言。坦言常常更快地显露你的人品和才华，显露你应变的能力潜藏着的能量。坦言是现代社会人际互动中极富建设性的策略，是一种建立良好情感环境的强大助力。

很多人在开始尝试坦言的时候常易紧张和失态，如同一只刚刚出壳的小鸡，感到湿漉漉的寒冷。但是，你一定要坚持下去，你一定会渐渐地熟练。坦言之后，即使被心爱的异性拒绝，也比潜藏着愿望追悔一生要好。即使得罪了昏庸的上级，也比唯唯诺诺丧失了人格要好。因为坦言，我们把自己的弱点暴露在光天化日之下，就更有了改正和提升的动力。因为坦言，我们会结识更多肝胆相照的朋友，会获得更多打磨历练的机遇。

珍惜坦言。那是一种心灵力量的体现，我们的意志在坦言中捶打，变得坚强。我们的勇气在坦言中增强，变得坚定。我们的爱在坦言中经受风雨，变成养料。我们的友谊在坦言中纯粹，变得醇厚。

坦言会让我们失去面纱，得到赤裸裸的真实。世上有很多人是经受不起坦言的，一如雪人不能和春风会面。但是，这正说明了坦言的宝贵。从年轻就学会坦言，那就等于你获得了一棵延年益寿的心理灵芝，你可以在有限的时间内得到更多行动和交流的自由。

第 七 辑

不妨告诉你,我是孤独的

当 我 们 拒 绝 他 人 的 时 候，

常 常 容 易 引 发 强 烈 的 内 疚 感。

这 会 干 扰 决 定 。

有时通往地狱的道路上，铺满了良好祝愿的地砖。

这世上悲惨的事情之一，就是善意成了悲剧的指路标。

击碎无所不在的尺

以最平凡的态度,做最不平凡的事情,这就是"平常心"的真谛了。

"平常心"这几个字,说的人多,真正明白的人没有那么多。因为"平常",并不是听之任之随波逐流,它是一种务实而踏实的人生态度,并不像我们想象的那样容易。它是高度智慧的不经意表现,是坚强意志的莞尔一笑。

如果别人对你没有要求,其实是很惨的事情。你被放逐了,你会觉得无价值感,会丧失了归属感。所以,当别人对你有很高要求的时候,你不必沮丧,那正是他高看你的能力,以为你能够胜任。当然了,如果确实超出了你的范畴,你可以提出看法,但不必垂头丧气。

到处是尺。尺度要人命。身高是尺,因为它赫然列在征婚条件的前几行。体重是尺,因为它和很多人的自我形象密切相关。职务是尺,简直就是衡量你是否进步的唯一阶梯。排名是尺,无论在国际上还是在国内省内校内班内,都是你的资格和位置的标杆。然而,设立尺的那个人是谁?人们已经忘记。

把自己从尺度中救出来,是当务之急。

永远不要把别人的进步,当成衡量你自己有无能力的尺度。那是不自信的人惯用的方式。无论是对自己还是对别人,万勿期望太高。所以,同学聚会的时候,你尽管放松,我们因为过去的友谊而重逢,这并不是今日近况的比武场。

得柴图

尴尬处方

做过半世医生,开过的处方如飘飘扬扬的大雪。记忆中有片雪花是黑色的,常在懊悔中融为泥泞。

那时,我初出校门,二十岁的女军医,好潇洒,好得意。用药独出心裁,签名笔走龙蛇。高原部队男儿多,我态度骄横,依旧门庭若市,一时间真以为自己能妙手回春。

一个矮矮的小兵,说他腿疼。按哪儿哪疼,又绝无红肿。我给他开了中药,说没用。换了西药,还说没用。再用封闭,仍是无效。一天,他要求理疗,说是又舒服又能治病。

我窃笑:小鬼头,你不就是怕苦吗?不想出操不想上岗不想急行军,我有一个根治的办法。

我板着脸递给他一张处方,上面挤满了针刺的穴位,手法强刺激,时间半小时……

他说:我不愿意让自己的腿成为刺猬!

他当着我的面把处方撕毁,摔门而去。我捡起纸角,看到我美丽的签名被人从三分之一处腰折,顿觉得脖颈处凉风飕飕。

我查到他的部队番号,把老式电话机摇得像一挺转盘机枪。我奚落了他的连长,要求为我主持公道。

女医生，请放心……连长有尺子一样板正的嗓音。

很多年后，我给一个威猛的军人诊病，他突然说：医生，我们原本相识。

噢，尺子一样的声音！

记忆中的小兵像标本般浮现出来。我说：他怎么样了？他的腿……

您判断很准，他是装病。那天放下电话，我就罚他去喂猪，整整三年。后来他成为一个好兵……

那一瞬我呆若木鸡，我不知自己曾于无意之间，如此剧烈地改变了一个青年生命的轨迹！

他是不是好兵我不管，我只知自己没有这份左右人的权力！

学会维持快乐
（外一则）

维持喜悦，是一件需要努力的事情，并不是天性使然。

喜悦与悲哀，都是人之情感一部分。沉浸在悲哀中是很正常自然的事，如果不是有意识地走出来，人们会深陷悲哀的沼泽中，很久无法自拔。

通常，除了时间以外，我们还需要一个猛醒，一声恫吓，才能从悲伤中振作起来。

喜悦则不是这样，它会像沙漏一样，在不知不觉中渗走，只留下一个回忆的空壳，令人惆怅。

要学会维持你的快乐，这就是不断地感恩，不断地将脸朝向有光的地方。

时间长了，你自然学会了和喜悦相处的诀窍。

希望你一站出来，就让人能从你身上看到生命的光彩。

生命是有光彩的，如果说一朵山野中的小花都有盈手的清香，一段腐木都会污浊不散，那么，我们的生活，也可以弥散出味道。

期望着你能让你的生命像黑暗中的米兰和雪中的梅，人们还没有走进，就会被熏染，就会深深地吸口气，不由自主感叹这飞来的一段美妙。

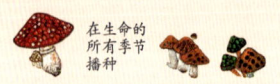

在生命的
所有季节
播种

叔本华说：人是生而自由的，却又无往而不在枷锁之中。

我们平日感觉自由的时候甚少，感觉枷锁的时间甚多。不过，仔细想想，你还是自由的。所有的枷锁都是你自己套上的。

打开枷锁享受自由的滋味，有些人从来也没有享受过。他们无所不在地夸大了枷锁的力量，忽略了自己的主动。只有自己才能化解生命故事中那么多的伤痛和矛盾，让自己日趋圆满。

记住，你永远是你的主人。

宇宙不公平吗？不啊，宇宙只是漠不关心。

自己的事要自己做，这是幼儿园就教会我们的道理。人们之所以看到很多人在讴歌艰难，是因为那多是成功了的人在自言自语。不要喜欢艰难，不要人为地制造艰难。

其实，艰难是把大部分人的才华磨损了，把大部分人的意志都侵蚀了，把大部分人的幸福耽搁了。我相信，在肥沃的土地上，充满阳光的空气中，才能生长出更多垂着穗子却丰硕饱满的庄稼。

那么，快乐是什么？快乐的用处就是——它能使你认识到自己的价值，感受到他人认可了你的成就，你对这个世界是有用的，还有一个附带的可贵用处，就是能让你健康。

爱日常琐事

为了人生的幸福，必须学会爱日常的琐事才行。

我们都是普通人，哪里有那么多惊天动地的时刻可以参与？就算是一旁观察，也要机缘巧合，哪里有那么多千钧一发的关头正好让我们遇到？所以只有艳羡英雄。

我们看不到世上最美的男人和女人，只能在寻常人等中打转儿。我们不会拥有天才的孩子，求到一个平安和健康的后代就是福气。我说这些，不是鼓励大家卑微，而是我们本来就像草芥一样平凡。天天在那里做梦觉得自己是千年栋梁，既是对草芥的蔑视，也是对栋梁的庸俗猜想。

勇敢地承认自己的平凡，是需要胆量的。然而只有这种承认，才能使我们自己摆正位置，无牵无挂地享受幸福。

真正做到不求后果不遗余力地投入，你倒真的有可能做出一点不平凡的事情来。

心理学相信，每个人都拥有比我们一向自知的更多的内在智慧。因为懒惰和匆忙，我们失去了很多东西，细小的裂缝成了不可弥补的深沟。如果年长却没有倨傲，沧桑而没有绝望，睿智而不让他人压抑，华贵而不让他人自卑，就是人生的大境界了。

欣赏心灵的成长
（外三则）

过去影响了现在，现在必将影响将来。只要你一息尚存，一切都还不算晚；只要你想改变，变化就会发生，只不过随着年龄的增长，变化的范围就比较狭小了，但狭小并不等于消失，永远不会有一个不能突破的界限。你可以奔突而去，决定权在你自己手中。

很喜欢一句话——死亡是成长的最后阶段。我们一生都需要成长，直到死亡。骨骼的成长，在二十几岁就已经完成了，从那以后，我们不再长高。但是，骨骼细胞还是在不断地更新当中，每一天都是新的。

你如不信，想想骨折之后，新鲜的断裂是如何卓有成效地愈合，你就会明白，即使是看起来呆若木鸡的骨头，也在日新月异地变化着，至于头发指甲这类外显的小零件，你更是可以清楚地看到它们是如何不知疲倦地增长着。

心灵呢？也一样啊，甚至成长得更快。你可以从一件事的反思上，更改几十年以来的一个错误观念。你可以在片刻的感悟中，习得一个伟大的真理。你可以从某人的一言一行中，体察到他被你忽略的丰富。你也可以一下子就识破了迷幻自己半生的谎言，从此洞若观火……

  在生命的所有季节播种

只要你学会了欣赏心灵的成长，就会看到它电光石火般的进化，这是人生最神奇的体验之一。

正视心底的负能量

每个人的内心，都有一间仓库。我们所经历过的事情和情感，都被一一输送到仓库里，分门别类地储存起来。其中有一些贴着精致美丽的标签，那是让人欢愉的美好回忆，我们十分乐意时时拉开抽屉，欣赏一番。也许还会拿出来展示，与亲朋们分享。那些让人不愉快的记录，我们将它们贴上封条，放在犄角旮旯处，恨不能闭目塞听，永不开启。也许在哪个不经意的瞬间，那扇小门冷不丁地弹开了，我们会忙不迭地关上，愁眉不展。

我们以为这就是全部的库藏了。其实，并非如此。有一些最不堪回首的惨烈记忆，被我们深深地掩埋在心灵库房的地下，化作了冰冷僵硬的泥土。

然而，负面的能量不会自动消失。如果没有正确的清理和根除，它们会在地下发酵，滋生出越来越密厚的复仇菌丝。终于有一天，它们遏制不住地爆发出来，让人们抑郁、沮丧、烦躁、悲观、绝望……甚至，衍生出陌生而诡异的人格，操控我们的生命。

我们的问题各种各样：也许是死亡、仇杀、贫穷、卑微、嘲讽、诬陷……也许是父母的偏心、师长的漠视、伙伴的孤立、亲人的责难、陌生人的轻蔑、长辈的鄙视……创伤无分大小，只在乎那印记是否深及骨骼。来自异性的一个不经意的嘲弄，蕴含着的杀伤力可能堪比核武器。这些回忆沉积在你心里，让你无法忘怀，如同威力强大的定时炸弹，潜伏在你人生的礁盘中，不知何时，轰然起爆，污染你生命的海洋。

怎么让内心永远保持澄澈呢？诀窍只有一个，就是敢于正视心底的负面能量，绝不退却。无论它多么邪恶和不可一世，你已经长大，你已经强有力，你已经安全。你可以战胜它们，粉碎它们。很多时候，我们恐惧的其实并不是事件本身，而是莫可名状的虚弱感。只要心灵强健，过往的伤害就变成了纸老虎，灰飞烟灭。

请听凭内心

根据心理学的原则，人的行为动机无限多样，具有不可猜测性。所以，你不必时时处处知道别人怎样想，你只要很清楚地知道自己是怎样想的，就相当不错了。

也许你要说，知己知彼，百战百胜嘛！这句古话固然不错，但那充其量只是一个充满了浪漫主义的想象。有谁能在一生中百战百胜？既然不可能，那么也只有听凭内心。况且人生也不是战场，有什么必要在和别人交往中百战百胜呢？那是战争哲学，不是快乐的处世之道。

我们不能随随便便改变生命中最基本的事物，这就是我们的集体无意识。我们不能改变友爱，这是我们从远古到今天不至于灭亡的法宝之一。我们不能不歌颂勇敢，因为那是祖先的光荣，我们不是懦弱者的后代，不是，永远不是。我们必须珍视凌越一己生命之上的某些东西，因为正是它们，将我们和动物区分开来。我们只有爱好光明，不然我们会成为黑暗中的蛆虫……就这么简单。如果你想撼动某些精神的法则，只有你自己的灭失作为结局，而人类依然向前。

请消除对于生存之艰苦的怯懦。

我们有理由怕苦，怕太热，怕太冷，怕风沙，怕熊罴……总而言之，怕那些令我们不舒适的东西。

不过，所有的新发现中，都会有一些不熟悉的因子存在着，都会有风险和失败等着我们。消除这些恐惧的最简单的方式，就是不畏惧生存之艰苦。当我们的身体能够适应苦难的时候，我们的意志也往往会跟随。

好心态

一个健全的心态，比一百种智慧都更有力量。

现在把智商炒得火热，可是我总觉得很多事情没办好，不是我们的智商不够，而是心态不稳。心理现在也成了一个几乎被说滥了的词。棋下输了，会说，其实是在心理上输了。跳水砸了，会说不是技不如人，而是心理上的问题。考试慌张，没能考出应有的成绩，自然也是心理上的毛病了……凡此种种，还可以举出很多。有时心想，心理问题变成了一个大箩筐，什么东西都可以丢进去。

不过，心理还真是一个大箩筐，也许它的容积，比我们想象的更大。我们的大脑,虽说是整个机体的总司令,但其实只占了整个身体能量的一小部分,还有一大部分,是习惯成自然,类乎山高皇帝远的封建诸侯国,自成体系。也就是说,机体几乎是在独立自主的情形下,下意识地完成着很多重要工作。比如,正常时分,你能知道自己的胃肠道是如何消化食物的吗?能知道自己的血压是如何调整的吗?想必大多数人一脸茫然。

如果人们紧张慌乱,手足无措,诸侯小国也顿时进入了非常状态。放弃了平日的稳定和协调,乱成一锅粥,其后果不堪设想。这就是为何在比赛中,有的选手会因为过度紧张,犯一些不可思议的低级错误。

说到底,也没什么不可思议的。紧张几乎是万恶之源,一旦机体进入了不协调状态,我们会词不达意、手足无措、丢三落四、张口结舌、漏洞百出、匪夷所思……总之,各种谬误风起云涌,让人防不胜防。

有人看到这里,就会很悲观,说照你这样一讲,岂不就没救了?无论我们事先准备得如何好,到时候,神通广大的潜意识一作乱,我们就前功尽弃、毁于一旦了啊!的确是这样。平日锻炼自己,养成健全的心态,遇事冷静不慌,全部身心高度协调,这比智慧更重要。

身体不是一匹哑马（外二则）

人们对于自己的身体常常是麻木不仁。只有当生病时，才知觉到它的存在。你见过朝阳的升起，可你觉察过自己身体升起的潮汐吗？

怠慢自己的身体，是现代人的通病。身体真是好脾气，倘有一分气力，就苟延残喘地担当着，实在担当不了，才轰然倒下，并无怨言。人们给这情形起了一个名字，叫作"积劳成疾"。

可是，不能欺负老实人啊！身体是我们最好的朋友，你不能把身体当成一匹哑马，无尽地驱使它做力所不及的苦役。你要学会和自己的马儿喃喃细语，你会听到这匹老马有多少真知灼见，引导你生命的苦旅。

我们要学会轻松省力地使用身体，快捷向前。轻松省力地使用身体的诀窍就是：将身心统一，让身体和思想在同一个水平线上。当我们高兴的时候，身体就微笑。当我们沮丧的时候，身体有权利哀伤。

最要不得的就是，明明你不喜欢这个人，却让身体奴颜婢膝，强颜欢笑。明明你喜欢这个人，却让身体冷若冰霜，拒之千里。这不单是做人辛苦，而且让身体早生华发，未老先衰。

善待你的躯体吧，它是你在漫漫征途中仅有的依靠。如果连它都背叛了你,你真要好好检讨自己的人生。要记住,身体是我们可以移动的世界。

脸　色

脸色是个常用词。如果我们怀疑某人的健康出了问题,第一个委婉的说法就是:你最近的脸色不大好看啊。如果我们觉得某人的心情不快乐,也会试探地讲:你的脸色好像有点不对劲儿啊。

脸色成了我们生理和心理的晴雨表,察言观色是人生的必修课。脸色和什么有关呢?第一肯定和血脉相连。脉息细弱,血色稀薄,定不会有什么好脸色。但脉络宏大血流汹涌,就一定脸色鲜艳?好像也不然。脸色和营养有关,吃饱喝足的人脸色易好,忍饥受寒的人脸色易差。脸色和太阳有关,天天钻在空调的庇护下,天长日久绝无好脸色。脸色和睡眠有关,点灯熬油通宵达旦的人,皮肤晦暗苍黄。脸色和荷尔蒙分泌有关,君不见青春年少的姑娘小伙,基本上唇红齿白艳若桃李,年逾古稀的老翁老妪,难得一见红光满面。

为了遮掩脸色的瑕疵,最快捷的方法就是涂脂抹粉。这是否乃原装的脸色,姑且不论,但它顾得了一时,解决不了根本,却是有定论的。决定脸色最基本的因素,是我们的心情。心情会变,从高兴到悲伤到委屈到愤怒……脸色是温顺的仆人,忠诚地执行着心情指令,从赤红到惨白到铁青到乌黑……趋之若鹜,把一张缤纷的调色盘倒扣在我们的鼻梁上,昭显给世人。

期待自己的好脸色,要早睡早起知冷知热,要内心沉稳遇变不惊,要不以物喜不以己忧,要先天下之忧而忧,后天下之乐而乐……

期待着普天下人都有一张好脸色,那就是世界安宁的保证书。

用宽容治愈焦虑

宽容就是允许别人有判断和行动的自由,对不同于自己的观点和行为,哪怕已经预见到了一切危险的结局,也依然耐心地公正地等待。

这一点,好难啊。可能是当过临床心理学家的缘故,听过很多人的故事,知道很多人的结局,这也就让我的人生,在某种程度上记住了很多人的经验。我没有更精湛的远见卓识,只是像一只老啄木鸟,敲击的树干比较多了,对于哪里有虫子,判断力稍好。

最常有的悲哀是看到危险渊薮,而当事人还以为是一马平川,逍遥向前。我大声疾呼警示危险,但人们闭目塞听优哉走去,令我惆怅叹息。时间久了,我也咽喉嘶哑,明知不可为而为之的耐心,渐渐消减。

更多的时候,因为当事人并没有征询我的意见,我也不能挺身而出干涉他人的生活,眼睁睁地看着列车出轨,人仰马翻。

人要想慈悲地输出智慧,不自作多情,也不是容易事。这种时刻,让我焦灼。

时间久了,也想明白了。不能以为焦虑不安就是贡献力量的一种方式,这是弄巧成拙,既帮不了别人,也毁了自己的欢愉。

焦虑本身并不是竭尽全力的表达,只是不良心理状态的折磨。其实,人生并没有一定的对错之分。生命是一个过程,万丈红尘、万千气象都是常态。宽容就是接受和自己不同的人生状态,并不歇斯底里。

慈 悲
（外二则）

"慈"在字典上的意思是"和善"。当我们轻轻地念出"慈"的时候，心中会涌起感动。会想起慈母手中长长的丝线，会想到父亲远去的背影。我们还会想到慈眉善目，想到慈祥和慈悲……

"悲"是人的七情之一，指痛彻心扉的哀伤，也包含着怜悯和凄凉，比如，悲歌悲剧悲欢离合……

当"慈"和"悲"这两个字连在一起的时候，就发生了奇妙的变化。你会发现它们都以一颗心做底。古人造字是很讲究的，他们在这两个字中注入了自己的体验，也期待着所有喜欢这两个字的人，都会共鸣和震撼。

如果一个人把自己的财富拿出来帮助别人，就等于伸出了自己结实的臂膀，因为劳动者的每一分钱都是他用双手换来的。如果一个人把自己的时间拿出来帮助别人，就等于馈赠出了自己生命的一部分。因为生命是由时间组成的。如果一个人把自己的血液和骨髓捐献出来帮助别人，那么这个人的一生就超越了自我，被放大成人类最美丽的故事，成为一种充满勇敢和友爱的慈悲。

让我们携起手来，用我们的劳动，用我们的时间，用我们的血脉和生命，化作春风，让人间温暖。

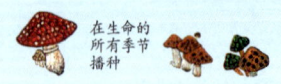

让我们彼此善解人意

善解人意通常是一个优点,但太过善解人意就成了缺点。你无法发现自己的真正想法,它刚一冒头,就淹没在他人意愿的滔天洪水之中了。善解人意的表达在有些时候就变成了"讨好"。

在人们的印象里,善解人意是个褒义词,尤其是贤惠女子的必备条件。君不见征婚启事中,众多的男人都要求将来成为妻子的女人要善解人意。这其实是半句话,下半句话是什么呢?就是你既然懂得了我的意思,就请照我的意思去执行吧。

他们为什么不把下半句话也明明白白地说出来呢?因为理论上大家都是平等的,不好意思说"将来在家里,要以我的意见为主"这样独裁霸道的话,就偷梁换柱改换成了这种看似美德,实际上是不平等条约的要求。

如若不信,那么我们换一种说法。如果我们夸赞哪个男生最出众的品质是"善解人意",恐怕人们会嗤之以鼻,觉得这个人是不是女里女气的没点男子汉的气概啊。

这就是"善解人意"的苦涩内核。

所以,如果说这世界上真有"善解人意"的优点,你首先要善解自己的意思。不要牺牲了自我,去成全别人的意思。你的"人意"我要能解,我的"人意"请你也要能解,大家彼此都善解人意,游戏才可以长久地玩下去。

帮助别人,是一种幸福

被人需要是很快乐的事情,即使很穷很忙。而无力帮助别人的时候，内心的感觉便十分黯淡。

美国哥伦比亚大学的研究人员在调研中证明，给他人帮忙越多的人，幸福感越强。帮助他人这一行为，本身自有其深远的影响。人们需要释放内心的人道主义情怀，在帮助或是施舍他人的时候，大脑的活动更为积极。

研究人员把一些钱装在信封里，分给一些学生，准确地说，是分给了四十六名加拿大学生，然后对他们说，你可以用这些钱给自己买些东西，或者是给别人买东西，送给他们。到了下午五点，研究人员把这批学生集合起来，调查其快乐指数。发现钱的多少，与快乐指数无关。不过那些给别人买东西的人，比给自己买东西的人，要快乐得多。

乍一听，怀疑真的是这样吗？多数人，还是给自己花了钱，比较舒服吧？然后假设自己做了这个实验。我想，我会选择把钱给我的父母，我的儿子，我的丈夫……这样想过之后，不禁哑然失笑。自己也是凡人，并不比别人更高尚或者更龌龊。所以，这实验的结果是真实的，结论通用你我。

研究证明，当人接受馈赠的时候，和给人帮助或施舍的时候，满足感是由大脑的同一部分产生的，只不过在帮助别人的时候，这一区域更为活跃。有时想，如果人的大脑皮层是透明的，我们就会看到，当那些精神活动的时候，我们会更有成就感。这是一个有趣的实验。

我相信，当一个人被他人需要的时候，是非常美妙的感受，成就感是无与伦比的。不信，你试一试。我会很乐意向人求助，因为这在给予自己机会的同时，也是给予了别人一个释放爱心的机会。我想，这恐怕是遗传给我们的精神馈赠。因为从远古时代起，只有那些愿意帮助别人的人，才会有更多的机会留下子嗣。我们基本是这种人的后代，在血液中就留下了良好的习惯。这种从心中捧出的、抛洒四处的爱意，我们要为之感动。

第 八 辑

生命如尘，心中有海

在水中自由地遨游，闲暇的时候挣脱一切羁绊，

到岸上享受晨风拂面，然后一个华丽的俯冲，

重新潜入关系之水，做一条鱼在波涛下微笑。

没有人是一座孤岛

生活是由无穷无尽的关系组成的。

你应该从中分辨出最重要的关系和相对次要的关系,比如你和食物的关系,就比你和小学同学的关系更密切。

食物是你每天都要和其发生关联的事物,它们要进入你的身体。小学同学,除了极个别的,都已成了回忆。

六十多年前,美国作家海明威说过:

"谁都不是一座孤岛,自成一体。任何人的死亡都使我有所缺损,因为我与人类难解难分。所以,千万不要去打听丧钟为谁而鸣,丧钟为你而鸣。"

人是一定要有一种连接感,这就是我们的命运。

每个人都与他人相连,断裂的时候才空旷无助。不过,不要失望,还会有新的连接发生,这就是自然法则。

生命中的粗纤维

痛苦和磨难,是人生不可分割的一部分。

生命没有了苦难,那么它也就失去了框架。很多自杀的人,就是因为没有理会这种意义,一厢情愿地认为,生命是应该只有甘甜没有挫败的。特别是在恋爱早期,那种汹涌的荷尔蒙带来的欢愉,让人把激情当成了常态。

生命的常态,其实就是平稳和深邃,还有暗流。在最深刻的层面,我们不单与别人是分离的,而且与世界也是分离的,兀自踽踽前行。

每个人的生命中必定下雨,就像坏天气也是大自然的一部分。某些日子势必黑暗又荒凉,就像你不可能总是吃细粮,那样你就会得大肠癌,你一定要吃粗纤维。坏天气、悲剧、死亡、生病,都是生命中的粗纤维,我们只有安然接纳。

真有些非常倒霉的人,叫你简直都不知道跟他说什么好。所有的语言都是多余的,真不知道命运为什么如此苛待于他。然而仍然不能放弃希望。放弃了,就真的一无所有了。这时,我们需要的便是勇气,便是稳定地活着:没有丝毫的自欺,执掌着非常强大的安全感,对宇宙有一种敬畏和信赖。心中没有希望,到哪里都不是理想的抛锚地。而只要生命还在,希望就能萌生。

生命的每一步都带着人们向死亡之境跌落。不要存在幻想,这才让你比较持久稳定,安然地居住在孤独中。胸中如有千沟万壑、千军万马,只有接受这一事实,我们才能超越苦难与死亡,腾起在空中,看清生命的意义。

心在水中
（外二则）

心在水中。水是什么呢？水就是关系。关系是什么呢？关系就是我们和万物之间密不可分的羁绊。它们如丝如缕百转千回，环绕着我们，滋润着我们，营养着我们，推动着我们。同时也制约着我们，捆绑着我们，束缚着我们，缠绕着我们。

水太少了，心灵就会成为酷日下的撒哈拉，干燥寂寞。水太多了，心灵就会披挂许多旧日尘埃，好像浸满了深秋夜雨的蓑衣，湿冷沉暗。

如何把水珠抖落，在朗空清风中晾干哀伤的往事？如何修复心理的划痕，让它重新熠熠闪亮，一如海豚的皮肤在前进中把阻力减到最小？如何在阳光下让心灵变得通透晶莹，仿佛古时贤臣比干的七窍玲珑心，忠诚正直聪慧，却不会招致悲剧的命运？

其实，人生所有的问题都是关系的问题。在所有的关系之中，你和你自己的关系又最为重要。它是关系的总脐带。你有时会大声地埋怨这个世界，殊不知症结就在你自己身上。处理好了和自己的关系，你才有精力和智慧去研究你的人际关系，去和大自然和谐相处，如果你被自己搞得焦头烂额，就像一个五内俱空的病人，哪里还有多余的热血去濡养他人！

不要去希图来世的天堂，只期待今生今世、此时此刻能朝着愉悦和幸福的方向前进，在水中自由地遨游。闲暇的时候挣脱一切羁绊，到岸上享受晨风拂面。然后，一个华丽的俯冲，重新潜入关系之水，留一串曼妙海豚音，给天空。

心理库容

勇气的精髓就是稳定地活着，没有丝毫的自欺，执掌着非常强大的安全感，对宇宙有一种敬畏和信赖。如果心中没有希望，那么哪里都不是理想的抛锚地。

许多人为自己没能得到最后的成功而痛楚，其实，不妨先分析一下失败的缘故。唯有当你没有全力以赴，你的失败才令人寝食不安。如若你已经全力以赴，你的失败即使不是成功的前奏，你纵然永远也得不到成功，你仍然不必痛苦。就算死后万事皆空，我们活过一生的这个事实，已构成了宇宙的一部分。

人的心理就像水库。库容太小了，就应对不了强大的情感水流，也许会冲毁堤坝，暴发山洪。之后的重建，要花费很多心理能量。如果你有一个庞大的内心储备，就可以在突发事件面前从容淡定，吞下千沟万壑的泥沙，依然水平如镜。

生活中最绵弱难解的部分就是情感，生命中最华彩的篇章也是情感。我听过无数愁男怨女谈情感故事，真是峰回路转，万千气象。当事人没有不迷惑的，没有不肝肠寸断的，没有不涕泪滂沱的，没有不咬牙切齿的……闹得我这个听故事的人，若不是有把子年纪，且已生儿育女，简直就要生出遁入空门的佛心了。

然而，这就是生命中最华彩的篇章，祸福相倚。

灵魂的居所

我曾在纽约参观自然与历史博物馆，看到了冰山的标本图。虽然从海明威的名言中，我早已知道冰山只有很少一部分露出水面，但当我真的看到水下冰山的庞大体积时，还是忍不住咋舌。

我们的意识和行为又何尝不是心理冰山露出水面的一角呢？

我们每一个表现出来的动作，其实已经走过了心理的很多道关卡。从行为去推测心理，是一个常用的方法。但我相信，行为一定少于心理波澜的次数，也许是大大少于也说不定。很可能是心理的轻舟已经飞越了万重山，行为才刚刚发出第一声猿啼。

而埋藏在那水面之下的心理冰山，则是无意识。这是一个更大的黑暗王国，它蹲踞在幽暗中，既庞然大物又虚无缥缈。正是它，在百分之九十以上的时间里，主宰着我们。难道你不想进入这个王国，看看它的疆域和版图吗？即使没有阳光，也要有火把。实在什么都没有，一点萤火虫的微光，也强过盲人骑瞎马、夜半临深池。

现在，你的职责就是整合你的无意识，将那些散兵游勇训练成骁勇善战的兵丁。否则，你就永远是它们的奴仆，无甄别地听从它们的号令。在你的内心深处探索并确定好它们的真正爱好和需求，引导你的行为和意识达到高度的完整和协调。到那个时候，你的力量将迸发光芒，你也就走在了趋向完美的道路上。

用生命擦拭生命

有个奇怪的悖论：我们都希望自己和别人不一样，却希望别人应该和自己一样。很多人爱说"将心比心"，这在常态下可行，在特殊情形之下，就不那么灵光。

我认识一些女朋友，爱穿奇形怪状的衣服，理由就是"我不想和别人一样"，这恐怕可以印证上面的说法。

其实，一样和不一样，都是相对的。我第一次上人体解剖课的时候，最惊讶的是那些尸体上肌肉的起止点，居然和书上写的一模一样。

我问老医生："有没有不是这样长的肌肉呢？"

外科老医生说，他做过几千例手术了，都差不多，几乎没有例外。

那一刻，我感到很失望。原来看起来千姿百态的衣物遮盖之下的人体，居然这样整齐划一。

从此，我不再追求外在形式上的出新，因为我们骨子里，都是一样的组织、内脏、骨骼、细胞……

但是，我们又常常说，没有一片叶子是相同的。叶子都不同，人当然更不同了。这不同之处就在于我们的心灵。生命如此百媚千娆，用生命点亮生命，用生命擦拭生命，用生命拥抱生命，用生命连接生命，都是美好的事。

回眸

温暖的陵园

我喜欢陵园的"园"字。不信,请你在风中轻轻念叨三遍。你的口形会从"陵"字凄凉的松懈,变成轻微收拢的振作,好像含住了天上落下的一滴雨露。有了这个温润的"园"字,"陵"字的孤寂和黯然就被冲淡了,你不由自主地想到花园、公园,甚至……团圆。

陵园本是伤怀之地。每一个为自己的亲眷寻找安息之所的人,最初走进这里的时候,心情都是哀痛而复杂的。哲学家说:"死亡的本质就是不可能再有任何可能性了。"其实不然,死亡在陵园演化成了整齐的行列和庄严的祭奠,变作了根和枝叶,还有花朵,还有果实。有一些人可能永远地消失了,有一些人却在这里被长久垂念。

在一般人眼中,陵园是空旷的,是冷寂的,是枯萎的。但你到陵园里走一走,就会渐渐忘却最初的忧烦。你看到的是绿草和树,是高山和云霞。你听到鸟鸣和流水,还有工作人员亲切的话语。

人一生当中要搬很多次家,要结识很多人,要看很多风景走很多路途……陵园,就是最后的一个家。陵园的工作人员就是最后结识的人,陵园的山水是最后看到的景色,陵园的土地就是最终停下脚步的驿站。

长久以来,哀伤是不登大雅之堂的,人们在黑暗中苦挨苦熬。

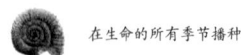

凄清无助的感觉攫取身心，苦楚如潮水一般将我们沉溺。这其中要经历震惊、否认、愤怒、绝望、平静、恢复、痊愈等复杂的心理路程，甚至有人干脆就把哀伤列入了和烧伤一样危险的急性疾病。谁来拯救苦难中的人们？谁来安抚百孔千疮的破碎之心？这个阶段到底有多长呢？国外的心理学研究者有说是半年的，有说至少要两年的。我认识一位女士，母亲在十八年前的大年初一离世，十八年来，每个春节都苍白如雪，家中清锅冷灶阴风惨惨，没有一丝过节的气氛。没有经过处理的哀伤，犹如埋藏在骨髓内的钢钉，哪怕表面上已经平复，不知会在哪一瞬爆发剧痛。我们只有等待时间之水慢慢洗刷，让哀伤抽丝剥茧，一点点稀释。

生命是一个完整的过程，每一个阶段都充满尊严。每一个生命的诞生，都让我们欣喜；每一个生命的离去，都让我们叹息。生命在陵园余音袅袅，人必须回到泥土当中，才能得到安宁。除了时间，我们还有没有其他方法挣扎出哀伤的海？如今陵园的工作者，将心理学的知识引进到工作中，通过大家共同的努力，连接起一双双温暖的手，强有力地援助哀痛中的人们。

期待那一天——当我们走进陵园的时候，沉默凄楚，忐忑不安，当我们离开陵园的时候，比较静谧镇定，祥和有力。

第 九 辑

美好的事物在大地蔓延

一个心理健康的人,心可以流血,

自己就能撕下衣襟之血。

心可以撕裂,自己能够飞针走线地缝合。

他可以有累累创伤,

更会有创伤愈合之后如勋章般的痕迹。

旷野与城市

城市是一粒粒精致的银扣,缀在旷野的黑绿色大氅上,不分昼夜地熠熠闪光。我所说的旷野,泛指崇山峻岭,河流海洋,湖泊森林,戈壁荒漠……一切人烟罕至保存原始风貌的地方。

旷野和城市,从根本上讲,是对立的。

人们多以为和城市相对应的那个词,是乡村。比如常说"城乡差别"、"城里人"、"乡下人",其实乡村不过是城市发育的低级阶段,再简陋的乡村,也是城市一脉血缘的兄长。

唯有旷野与城市永无声息地对峙着。城市侵袭了旷野昔日的领地,驱散了旷野原有的驻民,破坏了旷野古老的风景,越来越多地以井然有序的繁华,取代我行我素的自然风光。

城市是人类所有伟大发明的需求地,展览厅,比赛场,评判台。如果有一双慧眼从宇宙观看夜晚的地球,他一定被城市不灭的光芒所震撼。旷野是舒缓的,城市是激烈的。旷野是宁静的,城市喧嚣不已。旷野对万物具有强大的包容性,城市几乎是人的一统天下……

人们为了从一个城市,越来越快地到达另一个城市,发明了各式各样的交通工具。人们用最先进的通信手段连接一座座城市,使整个地球成为无所不包的网络。可以说,人们离开广义上的城市已无法生存。

我读过一则登山报道，一位成功地攀上了珠穆朗玛峰的勇敢者，在返回营地的途中，遭遇暴风雪，被困，且无法营救。人们只能通过卫星，接通了他与家人的无线电话。冰暴中，他与遥距万里的城市内的妻子，讨论即将出生的孩子的姓名，暴风为诀别的谈话伴奏。几小时后，电话再次接通主峰，回答城市呼唤的是旷野永恒的沉默。

我以为这凄壮的一幕，具有几分城市和旷野的象征。城市是人们用智慧和心血，勇气和时间，一代又一代堆积起来的庞然大物。在城市里，到处有文明的痕迹，以至于后来的人们，几乎以为自己被甲执兵，无坚不摧。但在城市以外的广袤大地，旷野无声地统治着苍穹，傲视人寰。

人们把城市像巨钉一样，楔入旷野，并以此为据点，顽强地繁衍着后代，创造出溢光流彩的文明。旷野在最初，漠然置之，甚至是温文尔雅地接受着。但旷野一旦反扑，人就一筹莫展了。玛雅古城，庞贝古城……一系列历史上辉煌的城郭名字，湮灭在大地的皱褶里。

人们建造了越来越多越来越大的城市，以满足种种需要。旷野日益退缩着。但人们不应忽略旷野，漠视旷野，而要寻觅出与其相亲相守的最佳间隙。善待旷野就是善待人类自身，要知道，人类永远不可能以城市战胜旷野，旷野是大自然的肌肤。皮之不存，毛将焉附？！

生活要有暖和光

从诞生的那一天起,我们的身体就天然适合并不懈地依赖温暖和阳光,确保安全并茁壮成长;从诞生的那一天起,我们的内心就需要有持续不断的温爱和希望灌注,应对现实冰凉并活得晴朗。我们的一生都在为温暖而不懈奋斗,直到死亡降临,才慢慢清凉下来,与空气和大地的温度融为一体。所以,生命和温暖息息相关。

我曾到过达尔文发现进化论奥妙的加拉帕戈斯群岛,看到一种奇形怪状的动物——海鬣蜥。它们简直就是远古恐龙的缩小版,虽然极端温顺,对人完全没有攻击性,但目睹它们成群结伙地趴在黝黑的火山岩上晒太阳,还是有不寒而栗的恐惧感。当地人说,海鬣蜥来自遥远的白垩纪,它们很可怜,时时都会因温度变化而死亡,我们甚至会说它们是会自杀的动物。

我问此话怎讲?当地人说,海鬣蜥是变温动物,体温会随着周围温度的不同而变化。它们要潜入加拉帕戈斯冰冷的洋流中去寻找食物——黑海藻,每次在海中不能超过十分钟,如果过了,体温就会随着海水温度不断下降,直到危险的境地。这时它们必须迅速放弃马上到口的食物,赶回岸上,爬到礁石上晒太阳,靠着阳光曝晒,有时需要长达几个小时,才能慢慢暖和起来。海鬣蜥的天敌会掌握它

们的弱点，耐心地等在岸上准备伺机大餐一顿。而疲惫不堪慌不择路的海鬣蜥，即使透过海水看到了敌人正等候着自己送上门去，也只能乖乖露出水面，成为天敌的盘中餐。海鬣蜥没有办法保持体温，它们必须找到温暖，不然就是死亡。

　　温暖，就是这样与生命息息相关。与其活活被冻死，不如碰碰运气。但请记住，我们作为恒温动物，保持身体温暖的最直接动力，来自内在。我们不能像海鬣蜥一样，没有了外界的输入，就只能坐以待毙。在寒冷中，我们要积极努力地不停运动，靠着自身肌肉的活跃，创造出来自本体的热量。生命的能量来源要向内寻找，温暖必须靠自己主动创造。

　　再说说"光"。圣典中说光是伟人赠予的，但我坚信，那些在亿万光年之外兀自发着光的星球，来自宇宙大爆炸。我们每个人也都是一个小宇宙，我们的光也来自我们自身。心里要有光，世界就是明亮的。否则你即使站在太阳之下，心中也是幽闭和冰冷的。

　　有的人以为有光就是没有一丝黑暗，到处都明晃晃耀人眼目。不！绝不是这样的，心理的光是对事物有明细清澈的判断，对自己的目标有庄严的把握，对世界的善恶有恰如其分的辨析，对人间的苦楚既不夸大也不掩饰，充满从容应对的勇气……心只要是光明的，就不会丧失希望，就不会垂头丧气，因为人在光在，四下皆明。

喜欢文学，比较地不容易犯罪

一天，同日本笔会会长尾崎秀树先生一行聚会，席间谈到日本东京地铁的惨案，以及奥姆真理教杀戮无辜的凶残。刚开始时还有些顾虑，不知日本作家会不会"家丑不可外扬"，没想到他们十分健谈，从奥姆真理教预言世界末日的到来，到他们试验化学武器细菌武器，侃侃而论……

说话间，议论到奥姆真理教的组织成分，日本作家介绍说，教派内的高级领导干部，全都是毕业于日本各名牌大学理工科的高材生，个个成绩优异智商超群，是专业领域里的才俊。

他们特别指出，在真理教的高干里，没有一个是学习人文科学的学生。他们笑着说：爱好文学的人，是比较不容易犯罪的。

为什么呢？大家都很感兴趣，于是一致探讨起来。回家后，我又想了许久。

现代的科学技术越来越发达，但它们相对于人来讲，永远是身外之物。人类已经把自己的吃穿住行打点得越来越精致，把外在的条件整治得越来越舒适了。但是心灵呢？这灵长中的灵长，却在越来越辉煌的物质文明中萎缩，淹没在闪烁的霓虹灯下，迷失在情感的沙漠里。

搞文学的人，要学习历史和哲学，头脑比较地清醒。当一种潮流像潮水一般涌来的时候，他们会在一个更广阔的时空中思索，想得更多更深一些，面对着迷惘的世界，多问几个为什么，可能会少一点盲从。

而搞理工的人，假若过于沉迷于具体的专业领域，随着现代科学分工的越来越细，"小切口，深力度"的科学研究，使某些人"一叶障目，不见泰山"，对其他领域的了解冷淡以至麻木，对整个人类的未来漠不关心，成为精神的残疾儿。

爱好文学的人，比较地多一些宣泄情感的渠道，比如可以在阅读名著中受到精神的净化，在欣赏作品中体验高尚的情感，在写作中倾诉对人生的感悟，在运用语言的过程中感到创造的喜悦。

搞理工的人，更多地是接触一个冰冷的物质世界。个别人很容易陷入对物质的崇拜，以为物质是整个世界的主宰。如果他一味沉迷于某种单纯的研究，而失去了对整个人类的爱心，他所掌握的技术越尖端，对人类的危害就越大。在自然科学家里，从来就不乏为魔鬼铸剑的人。麻原彰晃一伙，不正是利用手中掌握的高科技，研制置人类于末日的毒剂吗！

手头没有精确的统计资料，无法比较学文科和学理科的犯罪率，是否真有显著的差别，也许奥姆真理教是一个例外。但这个血淋淋的团伙提醒了无数善良的人们，在我们的科技高度发展以后，善与恶的斗争仍然同以往一样峥嵘。每一个有良知的人，都要关怀人类的前景，呵护美好的心灵，绝不能单纯地以为只要有了科学，明天就一定光明。

心理医生附耳细说

我做过心理医生,最主要的工作是倾听。倾听这世界的烦恼,倾听这人间的悲怆。听一些不着边际的牢骚,听一些怨恨与复仇的计划,听天马行空的幻觉,听……

这时,我很少说话,如果说,基本上都是轻声慢语,只有来访者一个人听到。

我在适当的时机,会说一些理解安慰的话,一些帮扶鼓励的话,一些挑战质询的话,一些期待向往的话……所有这些话,就算是强烈对质的话,都不曾大声说,因为它们不是指示,甚至也不是定论。它们只是一个灵魂陪着另一个灵魂,在泥泞中跋涉时的窃窃私语。

我们靠得如此之近,有时甚至比情侣还近。在这种近距离的接触中,我看到他或她的胸膛中尚未熄灭的理想火苗,在灰烬中跳跃。我听到他或她心灵中掩埋的美善种子,在旱涝中蓄势待发的挣扎……这些神圣时刻,如果不是静静倾听,如果不是附耳细说,就会如丝帛般在耀眼而喧嚣的世界缝隙中飘过,无从追索。

人类的韧性和无限的潜能,通常都是在冷静的状态下持久迸发。

在这寂静的夜晚,我独自向虚空中轻言。

人们在清冷中相识。人生苦短,人世苦寒。没有人承诺一定会给你温煦，就算有人真的曾经这样说过，无论是父母还是伴侣，你可以微笑着听，但不必真的信。就算他们有这个心，他们也没有这个力，因为世界不在他们的掌控中。唯有自己周而复始澎湃不息的血液，才能携带不竭的热量，在烘热了自身之后，向这个世界散发出微薄的暖意。

宁静有一种特殊的力量

宁静有一种特殊的力量,就是不管外界怎样变化无常,都能让你的躯体自在平和。就像一艘在狂风巨浪中保持着稳定的船,你难道不惊异于它锚链的深度和船体的坚固吗?

我喜欢宁静的风景和宁静的人,这使我怡然。我的老师林教授曾经帮我分析过这种爱好的形成。她说,你是不是因为在西藏待得太久了,雪山和冰峰静止不动,久而久之,也就养成了你寂静的性格?

我承认她说得有道理。不过,我的幼儿园老师曾说过,我从小就是一个安静的孩子。

真的是这样吗?我不知道。我知道自己的心里常常翻涌着惊涛骇浪。我知道这是我必须经历的,并不害怕。但我不会很激烈地把它表达出来,我觉得有一些事情要出现,就让它出现好了。我不能阻止它们,但可以平静地面对它们。

我在西藏的高原上,看到过这个世界最为纯净的水。它们来自亿万年前的冰川。我常常站立在波涛翻卷的狮泉河边发呆,心想,水的力量和生命是多么伟大啊。它们历经沧桑,仍然珠圆玉润,没有一丝疲惫和倦怠。看不到些许的伤痕,更没有皱纹和白发,永远

小夜曲

年轻地喧嚣着,如同新生的那一刹那。

我原来是很敬佩山的,但和水相比,山的自我修复能力要差很多,它们只能不由自主地风化下去,不可复原。山只能沿着一条没有回头的路,照直地走下去,大块的岩石崩塌,化为细碎的沙砾,然后继续颓弱,变作齑粉样的泥沙,再衰变为黄土……

人的心,还是像水吧。可以受伤,但永远有痊愈的力量。在大自然面前,人什么都无须保留,只须堂堂正正即可。

发出清凉的荧光
（外一则）

疼痛并不是惩罚，活着也不是奖赏。同理，死亡也不是失败，这都是人生的必然，你只有安然接受，寻找出黯淡中的色彩，并长久地保持美丽的荧光。

不要害怕疼痛，疼痛说明你还有敏锐的神经。不要给死亡涂抹上猥琐的蓝光，那是我们必然的归所。人生的最后一站，理应壮观华美。

为什么是荧光，而不是其他更光彩夺目气焰万丈的光芒呢，例如霞光、闪电之光或是北极光呢？

我曾在东北的山林中，在一个凉爽的夏夜，在层层叠叠的树丛中，看到过无数的萤火虫。它们飞舞着，把极小极弱的冷光带到更暗寂的角落。那光没有温度，没有四散的星芒，连亮度都是不稳定的，然而它们不倦地闪烁着，给山峦带来生机。

我对自己的人生没有奢求，能发出一点清凉的光，心已足矣。不借助外力，也不炫目，但竭尽所能地亮着。中国古代有故事说"囊萤映雪"，讲的是把很多萤火虫的光斑聚集起来，能让一个苦孩子看清书上的字迹。

这就是生命朴素的意义了，只要你曾不遗余力地让自己的生命发出过一道光芒，就不必再害怕死亡。

发现维生素

我当医学生的时候，听过这样一个故事。人们把许多种已知的养料混合在一起，喂小白鼠。刚开始，小白鼠长得很好，人们心中窃喜，以为科学已经掌握了所有生命必需的养料。没想到过了一段时间之后，小白鼠就蔫了，没精打采的。再过几天，情况更糟了。如果不赶紧抢救，简直就有生命危险了。人们就加用各种天然食物喂小白鼠，最后发现浸过米糠的水最有效，小白鼠喝了之后，精神抖擞恢复了活力。后来，人们在米糠水里找到了大名鼎鼎的维生素B1。

好的文学作品就像维生素一样，好的童话更是富含维生素的橘子和凤梨。没有它们，我们只掌握数学、语文、化学、物理等知识，在一段时间内，也可以谈笑风生，显出运筹帷幄的样子，但是，当我们缓缓走过一生，特别是经历风雨、跋涉险阻、遭遇坎坷、境遇艰难之时，就会缺少一种强大的内力。阅读名著，会使我们的心灵变得更开阔更芬芳。它们不是长篇累牍的说教而是沁人心脾的透析，它们不是枯燥无味的教条而是风趣幽默的聊天，它们不是耳提面命的训导而是月朗星稀的悄悄话，它们不是把你的思绪当成它的跑马场而是朋友般的促膝谈心直到永远……

今天晚上就开始阅读好的童话吧，如同一杯浓浓的果汁流入心田。

第 十 辑

对整个星空敞开灵魂

对于社会来说，强者的声音总是响亮的。

而弱者，那些卑微和细碎的生命的权利，

很容易被忽视和淡忘。

但整个人类的质量，是一个整体，

我们的目光更应特别地眷顾那些平凡如草的生命。

星空下的灵魂

灵魂这个东西的有无,在没有宗教信仰的人这儿,一直是悬案。就算是虔诚的祥林嫂,到了快要逝去的时候,也对此产生了强烈的质疑。她挎着自己的讨饭筐,一遍又一遍地追问——人到底有没有魂灵呢?

我以为,灵魂不是一个如何死的问题,而是一个如何生的问题。人思考死亡,是为了更好地生存。

我年轻时候,在藏北高原海拔六千米以上的旷野,在我用自己的雨衣搭起的简易帐篷缝隙里,在雪寒冰重的黎明,看到过这一生中最大尺寸的星辰。正是最黑暗的时刻,月亮悄声隐没,唯有群星闪烁。地上的冰原反射着天上的星海,恍惚中,我已置身星际的三百六十度裹绕。

阿里的时间晶莹剔透,那是冰和星的旷世合谋。

星空教给我最重要的知识,是人类的渺小。面对星空的时候,你会觉得,人是多么微不足道的浅薄存在,短暂到不可言说。

我知道在犯罪的类型中,有一种叫作"激情杀人"。我相信在自杀的例子中,也一定有一种"激情自杀"。

那一段时间的白昼,我总处于这种澎湃激情之中。酷寒中连续一个月每日百里路的艰苦行军，精疲力竭，无数次想到自戕。只因不忍连累无辜，一次次错失良机，才耽搁着终未死成，活到了这一个凝视满天星光的夜晚。在新的一天里，我还可以继续寻找死亡契机。不管千难万险，想死总会死得成。到底要不要自杀，我要做一个最终的决定。

那一刻，意乱情迷。仰看星光，想起之前的某一天，女战友对我说："那些男兵总在背后议论你。"

部队里上千个男兵，仅几个女兵，被男人们议论实在太正常了。我淡然不答。

她说："你就不想知道他们都说你些啥吗？"

为了不让女友觉得受到冷落，我平静地说："还不是身材相貌品头论足。我不想知道。"

女战友说："这一次，还真不是议论长相什么的，他们说的是你的精神。"

我想笑，强忍住不笑，说："我才不信有人能看穿我的精神。"

战友说："他们倒是没能看穿你，他们只是说你可能有精神病。"

到了这会儿，实在忍不住，我只好笑出声，说："我若是有病，卫生科科长就住咱们对门，早该看出来，也轮不到他们下诊断，他们有何证据？"

战友说："男兵们其实很不老实，总在暗处观察你，谁让你是我们的班长呢。他们说，经常眼睁睁地看到你无缘无故地龇牙一笑，好像面前站着一个隐形之人。在他们的家乡农村，只有神经出了严重毛病的女人，才会这样灵魂出窍。"

我把脑袋偏到战友面前，说："那你看我像精神病人吗？"

战友说:"我当然知道你精神上没毛病。可你真的像他们说的那样,在空无一人的时候,会独自对着空气微笑吗?"

她等了半天,我终于什么也没回答。其实我想告诉她,真的,我会。

当你看到高原氧气稀薄的空中,云彩若藕青莲花肆意铺排时,你能不微笑吗?当你看到万年冰雪如巨大蓝钻,反射金光欲刺瞎人双眼时,你能不微笑吗?当你知道唯物主义说——物质不灭,你能不微笑吗?我万分喜爱这个说法,哪怕是冈底斯山的一片凝雪,喜马拉雅的一根鹰羽,狮泉河水的一粒银砂,我自己的一丸冷泪……都绝不会真正消失,只是由此及彼周而复始,都会在风流云散后再次出发循环。一想到这一点,无论那时我是独自在一个战士的屁股上打针,还是单枪匹马地挑着沉重双桶在山坳取水,都会自得其乐地抿嘴微笑。仅仅微笑是不够的,应该大笑啊!

不管怎么说,在下一个日出之前,我要决定是继续活下去,还是就此死亡。我死了,会坠落一颗星吗?仰望星空,俯视地下,我发现那种"地上死去一个人,天上就丢星"的说法,是多么自作多情。天空的星远比地上的人要多,就是全地球上的人都死了,星空依然光芒万丈。人不能自以为是,狂妄自大。不过,我相信头顶这万千星辰,纵是再大再亮再多再远,也是没有思想的静物。人无论多么渺小脆弱不堪一击,却可以自由自在地浮想联翩和随意决定自己的行动。因此,我似乎不必忙着去死,我要按照自己的意志去完成理想,我还有壮志未酬。人生不过是到此一游,我尚未游完,只在途中。死是任何时候都可以做的一件事,人手一份,谁也剥夺不了你。我犯不上匆匆忙忙、在没有听到死亡发令枪击响之前,就跟跟跄跄地

抢跑，迫不及待扑到这一程的终点。我不妨先抖擞精神，振作起来做点其他事。比如，某一天用自己的方式，诉说对阿里的敬畏。等我利利索索、妥妥帖帖地把想办的事儿都办完了，再从容赴死想来也不迟。

星空自九天之上倾盆而下给予我的教诲，自此铭记在心，指导我的人生。那一年，我十八岁。

有人说，用心写的文章应该像一道菜，有特别的味道。这篇文章的气息，来自宝蓝色的星光之魂。

火车内外的风景

与一位经济学家聊天。他说，我以前是很喜好文学的，看过很多世界名著。但是，我已经很长时间不看任何文学刊物了，现在的小说不好看。你能告知我，好的小说家都干什么去了呢？

我说，依你这话，好像有一些天生的好小说家，躲在什么地方，等着人们去把他挖掘出来，仿佛多年的老山参似的。

他笑了，说，不管怎么样，文学家和经济学家是很不同的。

我说，愿听其详。

他说，整个社会就好像是一列火车。经济学家考虑的就是火车怎样开着更快，又不致颠覆。比如效率和公平，如同两根肋骨，对立着，缺了谁也不行，是支撑也是矛盾。当我们太强调公平的时候，就牺牲了效率。但是，如果社会的冲突太尖锐了，就会引起混乱……经济学家是最讲平衡的。

我说，我同意你这个有趣的比喻。但是，有一点我想和你澄清一下。那就是我们的这列火车，它是什么样的车呢？

经济学家说，这有什么特别重要的意义吗？总之就是一列火车罢了，有车头和车厢。高速的火车，现代的火车。坐满了人，很拥挤，在前无古人的路上运行着。

我说，原谅我，我是女人，又是搞形象思维的，所以我习惯具体化。火车和火车，当然是不一样的。我在国外坐过那种很先进的火车，速度之快先不说，单是那份舒适，就令人流连忘返。还有便捷与豪华，座椅旁有电脑上网的插孔，车厢顶部是全玻璃幕的，看得见星斗和云霞。列车夜晚在旷野上行进，宛然一尾发光的炮弹壳。我也坐过中国东北和西南那种恨不能每五分钟就停一站的慢车，整个车厢都弥漫着多年粪便沤积出的"阿摩尼亚"气，其浓烈程度几乎可令一个中度昏迷的人骤然清醒。地上的瓜子皮或是甘蔗渣能没过脚面，人与人摩肩接踵，只有置身在那种氛围里，你才能深刻地体验到什么是"血肉筑成的长城"……

经济学家打断了我，说，咱们的车，当然不是那种苦难陈旧的列车了，是新的车，基本上是夕发朝至的那种类型。

我说，太优越了点吧？你我乘坐的这列火车可没法夕发朝至，路漫漫其修远兮啊。话说到这里，我猛地想起一个极要紧的问题，忙着追问：有卧铺吗？

这很重要吗？朋友对我的穷追猛打有点烦了。

当然了。把整个国家比作一列列车，又是昼夜兼程万里迢迢的，一个人是坐着还是躺着，这几乎是头等重要的事了。我不依不饶。

朋友苦笑道，好了，我们就定下来，这列车上有一部分人是坐着，有一部分人是躺着。坐着的多，躺着的少。

我说，这就比较符合当前实际情况。

轮到朋友反攻，他说，我特别想知道的就是——当列车行进的时候，文学家在哪里呢？

我说，我个人可没资格判断文学家如何如何，我只是这个庞大古老的行业中的一个从业人员。依我粗浅了解，斗胆推断，当列车行进的时候，文学家也是在这列火车上的。他们中的绝大多数，肯定不是在车下，骑着毛驴或是躺在草丛中。

经济学家说，好吧，我相信文学家的大多数在车上。只是，他们在做什么呢？

我说，在看风景。看车窗外的风景和车窗内的百态。车子平稳运行的时候，他们也会欣赏音乐，但是通常不会打盹。也许会常常到餐车看看，民以食为天嘛。当然了，如果餐车座位太拥挤或是菜肴太贵，就只有待在自己的硬座席上，乖乖地等着吃盒饭。他们不会太好脾气，如果送的饭质次价高或是不卫生不新鲜，没准会大声叫屈。车子开得太快，车身剧烈颠簸的时候，他们会发出呼唤和抗议，那不仅是他们自己感到很不舒服了，更是听到车上的妇孺病残呻吟，以期引起整个人群的关注。日出或是日落的时候，窗外的风光格外美丽，他们会痴痴地趴在窗户上，看人类亘古不变的景色，想一些和速度之类无关的问题。入夜以后，也许整列火车上的绝大部分人都睡着了，但是他们不睡。不是忧国忧民，而是自己神经衰弱，睡不着觉。这种时刻，他们虽在人群中，却是异常的孤独，许久许久，他们在迷惘与思索中蒙眬睡去。突然听到有人啼哭，他们会披衣起身，来到那个老妪或是孤儿身边，倾听他们的故事，或许还会流下眼泪。当黎明到来的时候，他们就下了决心，把这个故事写下来……还有很多的时间，文学家也在为自家的事操心，比如屋子和孩子，比如职称和金钱，当然了，还有文人最常见的感情纠葛。

经济学家点点头说，好了，我大致知道文学家在车上会做些什么了，但是，你想过没有，文学家要站到车头上去，看司机怎样执掌方

向，看司炉怎样添煤烧水，听呼啸的风声，看弥漫的大雾。

我说，文学家通常是在想象和判断中，完成这些工作的。对于一个社会来说，强者的声音总是响亮的。而弱者，那些卑微和细碎的生命的权利，容易被忽视和淡忘。但整个人类的质量，是一个整体。记得看过一种团队的比赛，并不是以第一名到达目的地的时间来决胜负，而是以最后一名的到达时间为整个团体的成绩。文学家的目光，因此会永远特别地眷顾那些平凡如草的生命。

那天和经济学家朋友的谈话，只是私人之间的闲谈。两人都是各自职业中的沧海一粟，谈的自然是一孔之见。冲撞和交锋，使我发现了职业的差异是如此的显著。

欢迎文学家到车头来。经济学家朋友这样说。

行进的列车上，总要有人看车窗内外的风景。我说。

我喜欢辽阔的地方

我喜欢辽阔的地方,它会让人谦逊,清耳悦心。我的青年时代在藏北高原度过,那里曾经埋下我的悲伤与欢乐。它们如最初的精神之冢,不时继续掩埋新的心绪。许多年过去了,某一天心灵重返旧地,翻掘遗骸,我惊奇地发现,哀伤已经化为晶莹琥珀,欢乐变成巨蚌,养育出了珍珠。

这一切,让我感觉人的经历多么神奇!

十六岁时,我在西藏当兵,阿里有九个月的冬天,剩下的三个月,既不是春天也不是夏天和秋天,它是在冬天的底色上,间或涂抹着几道其他季节的无常岁月。偶尔不飘雪的晴朗冬夜,深蓝如水。逢我值夜班,到了后半夜,困倦不已。我会走出烛光摇曳的值班室,仰望星空。极端寒冷的空气给我注入钻石般的清洌,极目远眺,雪山如蜡,星河灿美。

我在那一刹做出了一个决定——要向一颗微不足道的小星学习,可以微弱,但要有光。

从那时起,我似乎从未真正年轻过。没有放浪形骸的为所欲为,也几乎没有肝肠寸断的爱恋情愫,有的只是迅疾奔突的行军和日复一日的躬身诊疗。每天每天,每年每年,在世界之巅戍边一十一载。

不变的星辰不变的峰峦，同样不变的还有弥漫一切的白色，看飞雪的且歌且舞，医素不相识之人的病痛生亡。

人生最大的纷扰，是找到意义和价值。这题目在我十七岁的时候，已经悄然作答。

我有一个柔和的童年，我却在很长时间懵然不知。我本以为所有的人，在他们婴幼时代都该如此，我只是其中一员。我后来才知晓，人的放松和宁静，很大一部分来自安全的早期经验。我得到过许多无条件的喜欢和爱，我要感谢我的父母和师长，让我知道自己虽然渺小，但仍是有价值的存在。

我一生的经历，所有的琥珀与珍珠，结成一串，沉重坠挂在我的颈项间。它们断裂了，跌落在我的文字里，愿与同样喜欢辽阔风光的你分享。

在不安的世界里，给自己安全感

如果单说"安全"这两个字，首先想到的是诸如"交通安全"、"饮水安全"、"金融安全"之类的范畴。如果"安全"的后面，再缀上一个"感"字的尾巴，哦，那就很有些不一样了。顾名思义，安全感是和人的内心紧密相连的一种感觉。如果"安全"主要指的是外在的环境，"安全感"就是一种由内向外扩散的无形氛围。

那么，安全感的实质究竟是什么？它指的是一个人在社会交往中有着稳定的内心世界和坚定的不惧怕感。

要讨论不惧怕，先要说说我们害怕什么。估计这种令人不安甚至心惊肉跳的感觉，大家都不陌生，每个人都可以举出很多类。

怕黑。怕黑是人类从远古传下来的一种基因中的集体遗传。在黑暗中，人的视力将基本丧失功能，看不到近旁是否有猛兽潜伏，看不到周边环境是否安全，看不到如果有危险，同伴是否能出手相援，至亲是不是能安然逃脱……在暗黑中，人被抛入孤独和恐惧之中。所以，"黑"这个字，延伸为隐蔽与非法，罪恶与狠毒，比如黑手、黑心、黑洞、黑社会……

怕巨大的声响。自然界的电闪雷鸣，代表着不可知的怒火和惩罚。怕狼虫虎豹，怕蛇怕蝎，怕獠牙和利爪，怕扫帚星和日食月食，

野 趣

怕飓风豪雨旱魃蝗虫……渺小的人类深知自己的脆弱和不堪一击，对大自然无可抵挡，只有深怀畏葸之心。

我们也怕另外的种族，因为有骤起的战争和残忍的杀戮。我们还怕瘟疫，怕洪水，怕天塌地陷，怕巨冷巨热，怕一切让我们感觉不舒适的天灾人祸。怕恶霸怕悍匪，怕阴谋诡计，怕临命悬一线亡国灭种的绝望崩溃之境。

凡此种种，不一而足。代代传承的怕，基本上都怕得有理。

适当的不安全感，是必备的铠甲。居安思危，未雨绸缪，更是安身立命的上佳策略。安全感是我们不可须臾离开的护身法宝，关键是要怕得有理有据，应对适度分寸得当。如果处处草木皆兵，天天如惊弓之鸟，就会极大地侵蚀我们的幸福感，作茧自缚得不偿失了。

适当的安全感，是怎样的呢？

有安全感的人，你可以看出来。他们的目光是安定的，不会没来由地东瞟西瞟，莫衷一是。他们会淡定地直视你的双眸，让你也能看清他的眼神。他不会用眼角斜视，声东击西地掩盖真实的观察目标。他的身躯是挺直的，既不夸张地耸肩摇头也不自惭形秽地收缩形体。他们的手指是安静的，不会无意识地张开收拢，好像随时要抓住一切机会毫不放松。他们的面容是平和的，既不阿谀奉承地媚笑也不虚张声势地恫吓。他们的四肢是协调敏捷的，既不快速地震颤也不无所事事地僵化。他们在遇到意外的时候，能有最基本的判断，而不是一味地惶恐尖叫。他们在遇到危险的时候，能够判断形势审时度势做出恰当的选择。他们在应该仁慈的时刻，会大力相助。在受到欺骗的时候，会紧急止损，汲取教训，并不会从此对这个世界丧失基本的信心……在最终面临生命结束的时候，他们会从容安详。

总之，一个有安全感的人，就像一颗悬挂天空的小小恒星，会自动持续发出温煦的光芒，既照亮自己也照亮他人。让这个世界多一点和暖，多一点光明。

一个安全感不良的人，也会挂相。他们会在眼底的深处潜藏冰碴，目光常常犹疑而怯懦。他们还容易手脚冰凉或烦热不止，因为虚弱的心脏无法将血液恰如其分地运送到身体的远端，不是过于孱弱就是过分亢进。他们常常摇摆于轻信他人或是疑窦丛生的两极，并循环往复。他们很容易悲观失望，心境如一枚深秋黄叶，受外界的影响很大。微不足道的小风雨，也会招致他们摇曳不定或是飘坠，常常落得孤家寡人，体弱多病。

缺乏安全感的人，在人际关系中，实在难缠。他们很容易陷入极端的无力感中难以自拔。快乐的时光，不敢恣肆汪洋地纵情一笑，哀伤的时刻，认定永远无法走脱。绝望就成了他们生命的主旋律，暗淡底色难以有光芒迸射。

他们也想到救赎。不过却错误地把找到安全感的希望，寄托在他人身上。

没有安全感的女孩子，总是巴望有一个能让自己把全部身体和精神的分量都倚靠上去的男生肩头出现在身旁，殊不知一生的分量何其沉重，不由分说地压将过去，其结果如果对方不是受虐狂，就会中途逃走或是一道崩塌。

缺乏安全感的员工，会因循守旧缺少创造性，他们只想保住饭碗，每日张望四处打探消息，对所有的人事更迭都敏感多疑噤若寒蝉。

缺乏安全感的人做了老板，就会不苟言笑严苛冷淡，他不切实际地要求所有的人与自己同心同德，决策时瞻前顾后畏首畏尾，殚精竭虑只怕夜夜失眠。

安全感看不见摸不着，却如空气般无所不在地环绕着我们，深切地影响着我们的一笑一颦一举一动。若是缺乏安全感，幸福不但姗姗来迟，而且过门不入。

这个世界总是不安不宁的。人类进化的历史上，也从未有过绝对的安全时刻。所以说，世界的不安宁，是个常态。如何在这个不安宁的世界里,寻找到属于自己的安全感,是每个人的人生必修课。早点将这一课修完并得个好分数,就会比较妥帖安然地度过一生。谁也不敢说具有安全感的人,就一定会比别人少遭受创伤和苦难,这一点,就算上帝也不能保证。但我敢说,有安全感的人,在遭受伤害和苦难之后,能比较镇定应对,比较幸运地从厄运的魔爪下脱逃,比较快地从残酷中复苏,能比较有效地疗愈自己的创伤。就算是要遗留厚重的伤疤,也较能将伤疤用柔软的布料覆盖,不会时时拿出来展示或是在阴雨天里发痒发麻痛不欲生。

马斯洛认为,安全感是决定心理健康的最重要的因素,他提出的关于心理健康的标准,第一条就是个体要"有充分的安全感"。

安全感是从哪里来的呢?

它的本质,是我们每个人的过往史留给我们的印记。这个"我们",不仅仅包含着我们自己的历史,也包含着人类共同的历史。但是,每个人的历史,在自己无法书写的时代,是由别人为我们代书的。毋庸讳言,一个不安全的童年,是无法馈赠我们丰沛的安全感的。所以,安全感很差的人,首先值得同情和理解。

不过,我们不应永远停留在童年,人类也已走出非洲的旷野,建立了高度的文明。安全感也不是一成不变的东西,它像一株植物,就算生长在贫瘠的土壤里,只要辛勤浇灌,施肥捉虫,也可以根深叶茂摇曳生姿。只是,你下的功夫要格外大,你要做自己安全感的不倦园丁。

真正的安全感只可能来自于一个地方,那就是我们的内心。如果说这世界上真有什么心灵宝贝的话,安全感就是红蓝宝石加上金刚石,金属丝加上高科技……共同编织成高贵坚硬灵活的护心甲胄。

和你一起幸福

幸福是什么？

是一种感觉，是灵魂的成就，而不是任何物质的东西。假如谁跟你说，我有一个东西，你拥有了它，就像坐上了一条船，可以直接抵达幸福的彼岸，你千万不要相信。倘若真是那样的话，我们只要拼命地制造这种东西，然后分发给大家，无数的人就轻而易举地获得了幸福。

可惜这种神秘的物质，永远不会制造出来。或者说，人类已经寻觅过了，找到了一种仿制品，一种毒药，那就是形形色色的毒品。但我们都清醒地知道，这种山寨版的幸福模拟物质，是抵达地狱的垂直天梯。

幸福生活的精髓，就是你在了解了幸福的真相之后，构建自己的幸福体系。

每个人的一生都应该是争取幸福的一生，都应该是让自己的幸福最大化的一生。心理学把人生幸福，当成最高的研究目标。

我们所走的每一个脚印，都应该踏在幸福之路的基础上，尽管幸福之路蜿蜒曲折。你不妨以一生的耐力和才华，且思且走，最终成就一个高度。

人生的至高财富，生命的所有意义，就是谋求幸福。

整个世界正处于某种前所未有的物质丰富但却精神迷茫的时刻。每个人必须要为自己的幸福负责，而不是由他人来决定我们的幸福纲领和步骤。这一过程是冷暖自知，没有人能代替你完成这个人生的终极功课，只有你自己用日子来一笔笔亲手书写。

世界上几乎所有的事情都要适可而止。

太阳不能永远照射，那样会把大地烤焦。雨不能总是下个没完，那就是洪涝灾害。吃饱了，你就不能再吃，那样就会把肚子胀破。我在边疆行医的时候，看到一个姑娘，因为在别人的婚礼上吃了太多的浸满了油的抓饭，那些硬而干燥的米饭粒在胃中发酵，结果她得了急性胃扩张，膨胀的胃最后在腹中爆裂。当我们急诊为她手术的时候，我看到了满肚子都是白花花的米饭粒……虽然医生们尽了最大的努力来抢救她的生命，无奈肚肠被过多的食物胀裂之后，虽然被大量的生理盐水洗干净了，但无所不在的细菌还是引起了严重的腹腔感染，最后年轻的生命悲惨地被食物扼杀。慢性的多食，后果也很严重。就算是肚子没有胀破，但高血脂、糖尿病、肥胖症、心脏病啊，都和饮食的不节制密切相关。运动也不可过量，那会导致肌肉的拉伤和关节的劳损，还有绿茵场上的猝死。最新的研究发现，过度锻炼还会导致女子不育。当然了，工作也不能过量，那是一种人的异化，除了像机器一样的运转，他再也找不到乐趣，直到某一天过劳而死。连氧气这种东西，也不能太多。太多了，就会氧中毒。

唯有一样东西，那就是幸福，没有止境。在这个世界上没有任何一个人，会嫌他享有的幸福太多了。不幸的人，当然是希望自己慢慢变得幸福起来。幸福的人,也希望在不破坏别人幸福的基础上,自己的幸福越来越丰盛。

没有一种流传久远的理论或是信仰,是要我们永远受苦受难。即使是要你承受现世的苦难,也一定会承诺你在忍受这些苦难之后,将获得来世以至永生的幸福。

跋 · 麦种缝入文字

时间好像一匹小马,你不可能让它昼夜兼程。当初我从北京师范大学心理学博士方向课程结业之后,和朋友们商议开办心理咨询服务机构之时,大家"约法三章"。关于时间的分配,我有言在先:每周至多只能两个半天,也就是说用少于六分之一的时间当心理咨询师,其余时间依然写作。同伴们爽快地答应了。刚开始一段还好,基本上我还能按照自己的时间表安排咨询和写作的节奏,但是随着人们的口耳相传,来找我咨询的人渐成规模。他们说我的咨询有神奇的疗效,一传十,十传百,有时前来问诊的人竟然把大厅挤得像自由市场。

我知道自己绝没有那么大的能力,要感谢的是那些来访者对我的真诚信任。他们自身的努力是一切改变得以发生的最基本的础石。形势的发展超出了预料,来的人愈来愈众,指名道姓要我做他们的心理咨询师。面对着一双双焦渴的眼睛和呼救的双手,我不得不把自己的

写作全然放下，靠一杯杯咖啡振作精神、再接再厉。

中国太需要心理咨询了。我甚至觉得世界上最迫切地需要心理援助的国家，就是中国。因为我们的历史太悠久，因为我们的变化太急速。因为各种观念的碰撞太过激烈，因为选择的多样化让人眼花缭乱。因为责任的庄严和神圣，因为生活的法则你无可逃避。这一代中国人的心理，注定要经受长久的迷茫和剧烈的动荡，才能最后走向澄清和明朗。

我看到了泥潭中太多的挣扎，也看到了这挣扎之中人性微弱而顽强的闪光。我深感自己的力量是那样的微小，常常想到好似一只衔石填海的精卫，而人们需要帮助的心理需求如同无边无际的大海。在一天劳累之后，面对着新的工作安排表，我甚至绝望地认为自己连精卫都不如。精卫所填埋的大海虽然辽阔，毕竟还是有边有沿的，填一点就会少一点，但现实中人们对于自己精神需求的探索，则是无穷无尽的。海水还在不断涨潮之中，海岸线还在不断延长之中。

中国是一个大国，我们有着众多的人口。心理咨询学是一门年轻的学问，我们的心理咨询师是如此之少，时间是如此的宝贵而又时不我待。我反问自己：纵使一天化作一千个小时，纵使我马不停蹄地工作，分身无术的我又能解决多少问题呢？自顾不暇的我又能帮助多少人呢？

这时，我看到了自己的电脑和曾经写下的几十本书。我喜爱我们古老的文字，我尊崇它们所蕴含的意义和力量。我相信文字是心与心之间最轻捷和最稳固的桥梁，我知道在我的手指和脚印所无法抵达的地方，文字可以穿云破雾，携带温暖和光亮飘然降落……

终于，当我的同伴对我说，现在已经是11月份了，3月份预约的来访者你还没有安排，有的人已经打过几十个电话，我们让他们一等再等，几乎已无言答对。我对大家说，请你们原谅。当我把手里这些个案完成之后，我要退出心理咨询中心了。我要去写书，写几本有关人们心理健康的小册子。我要写得尽量有趣些，定价尽可能低廉些。

　　书也许只卖一只盒饭加一瓶水的钱,我会在其中真诚地谈我的主张,也许会对一些需要听到不同声音的人有小小的帮助。

　　我正在实践自己的想法,有人说这是一个华丽的转身。我要稍微纠正一下,它一点都不华丽,只是一个朴素的掺杂着些许无奈的抉择。

　　做心理咨询师的经历,让我对人性有了较深邃的了解,同时也对自己有了较锋利的剖析。我把它们缝制到我的文字中,随风飘荡,好像一只只蒲公英的小伞,其中包含着春天会发芽的小小麦种。

　　朋友,如果你伸出手,就能接住它。

毕淑敏
2016.8.8 北京

(京)新登字083号

图书在版编目(CIP)数据

在生命的所有季节播种/毕淑敏著.—北京：中国青年出版社，2016.10
(青春读书课)
ISBN 978-7-5153-4442-3

I.①在… II.①毕… III.①散文集－中国－当代 IV.①I267

中国版本图书馆CIP数据核字(2016)第201450号

在生命的所有季节播种

毕淑敏 著

策　　划：	李钊平
责任编辑：	彭慧芝　刘　莹
内文插图：	刘　威
装帧设计：	今亮后声
出版发行：	中国青年出版社
社　　址：	北京东四十二条21号
网　　址：	www.cyp.com.cn
编辑中心：	010-57350371
营销中心：	010-57350370
印　　装：	鸿博昊天科技有限公司
经　　销：	新华书店
规　　格：	880 mm×1230 mm　1/32
印　　张：	9
字　　数：	200千
版　　次：	2016年10月北京第1版
印　　次：	2016年10月北京第1次印刷
印　　数：	1-20000册
定　　价：	32.00元

如有印装质量问题，请凭购书发票与质检部联系调换　联系电话：010-57350337

Bi Shumin 毕 淑 敏

毕淑敏写给男生女生的心灵成长励志经典

青春读书课
陪你人生走一程

文学界的白衣天使、著名作家、心理医师
作品入选全国中高考语文试卷最多的作家之一

01.《每一次卓越都来自倔强的孤独》
02.《所有的动力都来自内心的沸腾》
03.《孜孜不倦地爱与被爱》
04.《用心触摸世界的温暖和美好》
05.《绝望之后的曙光》
06.《在生命的所有季节播种》
07.《别给人生留遗憾》
08.《女生,我悄悄对你说》
09.《男生,我大声对你说》
10.《为了雪山的庄严和父母的期望》
11.《大雁落脚的地方》

定价:32.00元(单册) 352.00元(套装)

美好人生,从最美的青春读书课开始

讀書人 Reader